KB077133

다른 세상, 사람, 이야기

다른 세상, 사람, 이야기

발 행 | 2023년 11월 18일
저 자 | 강이슬
펴낸이 | 한건희
펴낸곳 | 주식회사 부크크
출판사등록 | 2014.07.15.(제2014-16호)
주 소 | 서울특별시 금천구 가산디지털1로 119 SK트윈타워 A동 305호
전 화 | 1670-8316
이메일 | info@bookk.co.kr

www.bookk.co.kr
© 다른 세상, 사람, 이야기 2023
ISBN 979-11-410-5346-8
본 책은 저작자의 지적 재산으로서 무단 전재와 복제를 금합니다.

다른 세상,
사람, 이야기

강이슬 지음

CONTENTS

머리말

"하고 싶은 걸 하면 길은 어떻게든 생긴다."

어머니께서 항상 해주시는 말입니다. 그래서 하고 싶은 일을 하려고 합니다. 지금 이 경우에는 그것이 소설 쓰는 일이고요.

작년, 그러니까 2022년까지만 해도 저는 소설과는 별 관련 없는 평범한 대한민국 학생이었습니다. 아침에 일어나면 급하게 교복을 입고 뛰쳐나가듯이 집을 나서 등교하고, 학교가 끝나면 학원에 가서 공부하다가 창밖이 어둠으로 뒤덮이고 도로를 다니는 자동차의 소음이 잦아들 무렵 집에 돌아가 잠을 청하는, 그런 학생이었습니다. 좋은 부모님을 둔 덕분에 어릴 때부터 책을 많이 접했기 때문인지 다른 친구들보다 책을 좋아하고, 아주 약간 더 많이 읽기는 했지만 글 쓰는 일과는 거리가 멀었습니다. 학교에서 독서록이니, 수행평가니 하며 글을 쓰라 할 때나 툴툴거리며 써 내려갈 뿐이었지요.

그러다 처음으로 소설 쓰는 일에 관심을 가지게 된 것은 올해 초의 일이었습니다. 구태여 자세히 설명하지는 않겠지만 그 당시 저는 나름대로 꽤 많은 스트레스를 받고 있었습니다. 학업이 손에 잡히지 않아 이것저것 다른 일에 손을 대보다가 천선란 작가님의 『천 개의 파랑』이란 소설이 눈에 들어왔습니다. 새파란 표지가 마음에 들어서였는지 홀린 듯이 책을 집어 들어 읽기 시작했던 것 같습니다. 그리고 시간이 얼마나 지났을까, 저는 책의 마지막 페이지를 넘기며 터져 나오는 눈물을 참고 있었습니다. 책을 읽으면서 이토록 감정에 북받친 것은 그때가 처음이었습니다.

그렇게 책 읽기의 기쁨을 다시 깨닫고 대략 한 달간은 다양한 책을 탐독했습니다. 대부분은 SF 소설이었지만 중간중간 다른 장르의 책도 있었습니다. 그리고 시간이 또 지나 개학이 한 달 정도 남았을 때쯤, 직접 소설을 써보고 싶다고 생각했습니다. 직접 쓴 소설이 다른 사람들에게 읽히고 그들에게 제가 느꼈던 것과 같은 재미와 감동을 줄 수 있다면 그것만큼 뿌듯한 일이 또 있을까요?

그래서 글쓰기를 시작했습니다. 첫 번째 습작은 원고지로 약 20매 정도 되는 엽편소설이었습니다(이 책에도 수록한 '아이스크림'입니다). 정말 아무런 욕심 없이 쓴 작품이었지만 생각보다 주변의 반응이 좋았습니다. 이에 자신감을 얻은 저는 브릿G라는 온라인 소설 플랫폼에 그 작품을 투고했습니다. 예상외로 그곳에서도 꽤 괜찮은 피드백을 얻을 수 있었습니다. 그때 얻은 제 글에 대한 약간의 신뢰 덕분에 지금까지 집필을 이어 나갈 수 있었던 것 같습니다. 그 뒤로도 몇 개의 글을 더 올렸지만, 첫 작품만 한 호응은 얻지 못했습니다. 그래도 포기하지 않고 계속할 수 있었던 것은 '아이스크림'의 기억, 그리고 운 좋게도 가입할 수 있었던 '책 한 권 쓰기' 동아리 덕분입니다.

'책 한 권 쓰기' 동아리는 올해 처음 생긴 동아리였습니다. 이곳에 가입한 덕분에 저는 글을 쓰기 위한 동기를 얻었을 뿐만 아니라 이렇게 한 권의 책으로 제 단편들을 엮여 출판까지 해보는 기회를 잡았습니다. 이런 좋은 기회를 만들어주신 김영욱 선생님께 감사하다는 말을 전하고 싶습니다.

이 책에 수록된 단편들은 제가 지금까지 써왔던 대부분의 단편과 마찬가지로 SF 장르로 볼 수 있을 것 같습니다. 그러한 장르적 구분은 너무 모호해서 굳이 '이것이다'라고 말하고 싶지는 않지만, 어쨌든 하나를 고르라 한다면 저는 SF를 택하겠습니다. 올해 여름까지 썼던 SF적인 단편들에 비해 이곳에 수록된 작품 대부분은 그 색이 많이 옅어진 듯한 느낌이 들기는 하네요. 그래도 여전히 다른 장르들보다는 SF에 가까울 테니까요. 하지만 굳이 이 작품들을 SF로 단정 지은 채 읽지는 않아 주셨으면 좋겠어요. 많이 부족하지만, 제 작품들을 즐겨주신다면 감사하겠습니다.

바람이 점점 차가워지는 가을날 밤, 침대에 앉아.

감사한 독자님들께.

다른 세상의 이야기

다행히도 소설은 인간만의 이야기가 아니고,
나는 밖으로 나가 새로운 이야기를 탐색한다.
-김초엽, 『책과 우연들』

구름 나라 구하기

똑, 똑, 똑.

나는 가만히 쪼그려 앉아서 물이 한 방울씩 떨어지는 모습을 보고 있었다. 복도는 어두웠지만 창밖의 가로등 불빛 덕에 물방울만은 선명하게 보였다. 천장에서 떨어지는 물방울과 물방울이 웅덩이에 떨어지는 모습이 꽤나 귀여웠다.

시간 가는 줄도 모르고 그렇게 있다 보니 익숙한 종소리가 울려 퍼졌다. 조용하던 복도에 조금씩 밝고 에너지 넘치는 공기가 흐르기 시작했다. 왼쪽 눈으로 들어오는 빛이 조금 밝아지더니 이내 가벼운 발걸음 소리와 재잘거리는 말소리가 들려왔다. 나는 재빠른 몸짓으로 몸을 일으키고 뒤에 놓아둔 가방을 집어 들었다. 불빛이 보이는 쪽으로 가볍게 뜀박질하면서 멀리 보이는 윤곽을 향해 말을 건넸다.

"수환! 공부 많이 했어?"

"아니, 오늘따라 집중이 안 되더라?"

수환이가 달려오는 나를 보고 말했다. 장난스러운 표정으로 입꼬리를 올리고 있어도 수환이의 얼굴은 여전히 잘생겼다.

"너는? 너도 안 했지?"

"했겠냐?"

나는 웃으면서 수환이의 어깨에 손을 둘렀다. 학교 정문을 향해 발걸음을 옮기는 수환이의 얼굴에도 웃음기가 더해졌다.

"뭐 어때. 아직 시간 많이 남았잖아? 떡볶이나 먹고 갈래?"

"그래! 딱 이번 주까지만 놀고 공부하는 거야!"

일주일 뒤, 나는 침대에 걸터앉아서 황당한 표정으로 축축하게 젖은 베개를 쳐다보고 있었다.

"같이 하늘로 올라가자고? 그게 가능해?"

주먹 두 개 정도 크기의 물방울이 몽글몽글한 몸을 꼼지락거리면서 물방울을 서로 부딪쳐서 퐁퐁거리는 소리를 냈다. 잉크 방울 같은 검은 색 눈 두 개는 내 쪽을 보고 있었다.

[네 가능해요! 제발 날 믿어!]

나는 번역기 앱 화면에 쓰인 글을 읽고 나서 서툴게 정령어를 흉내 냈다. 사람의 발성 기관으로 물이 튀는 소리를 따라 하기란 여간 어려운 일이 아니었다. 평소에 뭐 하러 이런 것을 배우냐는 핀잔을 들어가며 정령어를 공부해두지 않았다면 한 단어도 발음하지 못했을 것이다.

"네가 하라는 대로 했다가 나한테 나쁜 일 생기는 건 아니지?"

[확신하는! 천국에서 보내는 1시간은 이 땅에서 보내는 1분과 같습니다. 그리고 우리에게 필요한 것은 5시간 미만입니다! 추가 피해는 없을 것임을 약속드립니다.]

"5분이면 된다라…"

정령과 같이 하늘에 가 달라. 정령에 대한 것이라면 우리나라 대중들이 알고 있는 모든 것을 안다고 생각했던 나조차도 들어본 적이 없었던 제안인 만큼 걱정이 들기는 했다. 하지만 저렇게 문제가 없을 것이라고 확신하는 모습을 보니 두려움보다는 호기심이 커지기 시작했다. 어느새 마음속 깊은 곳에서부터 올라온 미소가 얼굴을 덮었다. 5분 정도라면 굳이 엄마한테 말할 필요도 없겠는데!

"좋아! 어떻게 하면 될까?"

물의 정령은 기분이 좋아졌는지 베개 위에서 방방 뛰었다. 아니, 실제로는 몸이 길어졌다 작아졌다 하기를 반복했다고 표현하는 것이 더 정확했다.

[특별히 해야 할 일은 없습니다. 당신이 해야 할 일은 나와 함께 바닥을 돌아다니는 것뿐입니다. 그러다가 어느 순간 당신의 몸도 나와 비슷하게 변하게 될 거예요. 실제로는 영혼만 빠져나가고 실제 육체는 그대로 남아 있으니 걱정하지 마세요. 물론 영혼은 5분 안에 돌아옵니다.]

영혼이 빠져나간다니, 조금 무섭긴 했지만 일생에 한 번도 있을까 말까 한 정령국 방문의 기회를 놓쳐버리는 것이 더 두려웠다. 그래서 물의 정령이 시키는 대로 침대에서 내려와서 정령을 품에 안고 작은 원을 그리며 걷기 시작했다. 학교에서 정령을 안고 집으로 올 때와 같이 기분 좋은 따뜻함이 느껴졌다.

물의 정령을 발견한 것은 쪼그려 앉아서 떨어지는 물방울을 바라보던 바로 그 창가에서였다. 장마 기간이라 비가 일주일 넘게 계속해서 내렸다. 나도 일주일 전과 똑같은 모습으로 천장을 통해 새어 들어오는 물방울을 보고 있었다. 그런데 왠지 물이 고여있는 웅덩이의 모습이 조금 어색했다. 평소보다 조금 탁했고 검푸른색을 띈 것 같았다. 이상함을 느끼고 자세히 들여다보니 물이 슬라임처럼 조금씩 꿈틀거렸다. 잠시 후, 웅덩이가 솟아오르는가 싶더니 둥그런 구 모양으로 뭉쳐지기 시작했다.

'정령이다!'

물이 뭉쳐지는 모습은 유튜브에서 보던 모습 그대로였다. 드디어 나도 정령을 만나는구나, 생각하니 내 심장은 점점 빨리 뛰었다. 나는 전교생이 다 아는 정령 덕후였다. 나의 정령 사랑이 너무 적나라하게 드러나지 않게 하려고 노력하긴 했지만 그럼에도 오타쿠로 취급받을 정도였다. 5살이 되던 해부터 정령들을 사랑해왔으니 그럴 만도 하긴 했다. 유튜브 알고리즘도, 내 방 장식품과 서재도 온통 정령에 대한 것들 뿐이었다. 나랑 같은 나이대에 정령학 전공 서적을 읽고 몇 종류의 정령어까지 익힌 사람은 아마 나뿐일 것이다.

물웅덩이의 모습을 버리고 비로소 온전한 정령의 모습을 다시 갖춘 물의 정령은 자신을 바라보는 나의 부담스러운 시선을 느끼고 말했다.

"뭐야, 이건!"

어휘적인 지식은 부족한 내가 단박에 알아들을 정도로 쉬운 문장이었다. 나는 휴대폰을 열어 번역기를 실행시키면서 간단한 정령어로 말했다.

"나 너희 말 할 줄 알아."

정령의 형태가 변하는 모습을 보니 꽤나 놀란 눈치였다. 그것도 잠시, 정령은 기쁨의 형태를 취했다.

[그렇다면 도와주세요. 딱 맞는 사람을 바로 만난 게 행운이다!]

"도움이라니, 내가 너를?"

내가 알기로는 정령은 사람을 도와주는 것을 좋아하지, 사람에게 무언가를 부탁하는 일은 거의 없었다.

[예, 그렇습니다. 그런데 이곳은 왠지 불편하다. 좀 더 안

전한 곳으로 이동하자.]

그래서 나는 바로 보건실로 달려가서 배가 아프다고 말하고는 학교에서 나와 정령을 안고 집으로 뛰어왔다. 학교에서 조퇴하는 것쯤이야 한두 번 해본 일이 아니니 어려울 것도 없었다.

내 방에 들어와 베개 하나를 정령에게 내주고 말을 들어보니 대충 자신들의 나라에 인간이 만든 물체가 들어와서 빼낼 수가 없으니 도와달라는 것이었다. 어느 날 국경 부근에 처음 보는 물체가 들어왔고 곧 큰 소리를 내며 터졌는데 그 안에 이상한 기계 장치가 들어있었다고 했다.

[우리 힘으로는 그것을 제거할 수 없습니다. 함께 우리나라에 가셔서 도와주세요.]

그렇게 해서 지금 나는 정령의 나라로 가는 의식을 치르고 있다. 방바닥을 몇 바퀴나 돌았을까, 온몸이 쪼그라들고 부드러워지는 것이 느껴졌다. 팔을 보니 정령의 몸처럼 투명한 검푸른색 액체로 바뀌어 가고 있었다. 어느덧 내 몸은 크기만 큰 정령처럼 보이게 되었다. 나를 데리고 온 정령은 내 품에서 뛰어내리며 말했다.

"다 왔어! 이제 너도 우리랑 거의 비슷한 모습이지. 하지만! 근육이나 뼈처럼 인간일 때 네가 가졌던 조직들은 그대로 물주머니로 구현되어 있어. 그러니까, 평소랑 똑같이 몸을 움직일 수 있을 거야.”

정령화가 된 몸이라서 그런지 정령의 말이 한국어처럼 익숙하게 들렸다.

“그럼 이제 나는 뭘 하지?”

아쉽게도 말을 할 때는 원어민처럼 생각할 수 없어서 여전히 간단한 단어만을 구사할 수 있었다. 그래도 발음은 완벽해서 나름 마음에 들었다.

“따라 와! ”

정령을 따라 방문 밖으로 나가보니 우리 집이 아니라 완전히 다른 세상이 펼쳐져 있었다. 방 안으로 물이 콸콸 쏟아져 들어왔고, 문밖에서는 여러 마리의 정령들이 부드럽게 헤엄치면서 부지런히 움직이고 있었다. 그제야 정령학개론에서 보았던 묘사가 실로 정확했다는 것을 깨달았다.

「(…)물의 정령국은 물로 된 구름과도 같다. 하늘에 물의 정령들은 하늘에 떠 있는 거대한 물방울 속에서 살아가는데, 그 크기는 평범한 적운형 구름의 절반에 달한다. 물의 정령국 하단부에서 바닥을 내려다보면 지상의 모습을 볼 수 있다(이는 초창기 연구에서 물의 정령국이 실제로 구름과 매우 유사하다는 것을 발견하게 된 계기이다). 수영장, 그중에서도 인피니티 풀과 유사한 모습이기 때문에 다른 정령국들에 비해 인간이 방문하였을 때 적응하기 편리하다. (…)」

"이쪽이야. 정령들 사이에서 누가 나인지 찾는 방법은 알아?"

책에서 물의 정령은 개체마다 가운데에 품고 있는 공기방울의 모양이 달라서 그걸 보면 서로 구별해낼 수 있다고 했던 것이 기억났다. 이 정령의 경우에는 별 모양의 방울을 갖고 있었다.

"맞아! 너, 우리를 되게 잘 알고 있구나? 나중에 통역관이라도 하려고?"

"딱히 그런 건 아니지만… 그냥 너희 같은 정령들이 궁금해서."

"흠, 특이하네. 근데 나는 사람들을 많이 만나는 편이라, 인간 식으로 이름을 하나 만들었어. 그러니까 편하게 잔별이라고 불러줘도 돼."

잔잔하게 흐르는 해류를 거슬러 30분쯤 가다 보니 아까보다 훨씬 많은 정령이 모여있었다. 정령 말고도 그들과 같은 물질로 되어 있는 것 같은 물건들이 보였다. 옆에 있던 아이들이 가지고 놀다가 놓쳤는지 슬라임 공 하나가 내 쪽으로 날아왔다.

"미안해요! 인간의 영혼은 처음 봐서 너무 놀라가지구…"

한 정령이 내게 다가와 떨어지는 공을 주우면서 말했다. 나를 데려온 정령과 같이 검푸른색에 옅은 붉은색이 섞인 작은 정령이었다. 아기 정령은 나를 앞질러 나아가고 있던 내 길잡이를 보더니 소스라치게 놀라 이상한 소리를 냈다. 소리를 지를 뻔한 것을 겨우 참아낸 것 같았다.

"제가 결례를…! 정말 죄송합니다. 감히 선처를 부탁드려도 되겠습니까?"

아기 정령은 놀란 가슴을 부여잡고 떨리는 목소리로 그에게 말했다. 잔별은 그제야 아기 정령을 발견한 듯 천천히 뒤를 돌아봤다.

"아, 괜찮아. 하루도 괜찮지?"

나는 무의식적으로 고개를 끄덕거리다가 정령들이 나를 올려다보는 표정을 보고는 허둥지둥 소리 내어 대답했다.

"어, 당연하지!"

그제야 아기 정령은 안심한 듯한 모양을 한 채 고맙다고 인사한 뒤 초록빛 공을 품에 안고 친구들이 있던 곳으로 헤엄쳐갔다.

도시에 진입한 지 한 시간쯤 뒤에도 나는 잔별의 뒤를 따라 여전히 헤엄치고 있었다. 조금 전부터 주변에 있는 정령들의 수가 점점 적어지는 것을 보면 이제 도시의 외곽쯤에 도착한 모양이었다.

"저기 보여?"

앞장서던 잔별이 오른쪽 부분을 길게 늘어뜨려 앞쪽을 가리켰다. 그곳에는 열 마리 정도 되어 보이는 정령들이 가운데에 어렴풋이 보이는 물체를 둘러싸고 모여있었다.

"응, 뭔가 보이긴 하는데, 어떤 모양인지는 잘 모르겠어. 저걸 치워주면 되는 거야?"

"맞아! 보다시피 우리보다 몇 배는 더 커서 밀리지도 않더라고. 하지만 너보다는 훨씬 작으니까. 해줄 수 있지?"

물체에 조금 더 가까이 다가가 보니 물체는 사람 머리의 네 배 정도 되는 크기였다. 아까 들었던 것과 같이 복잡한 배선으로 연결된 기계 장치였다. 이 정도 크기의 금속 덩어리라면 들 수는 없어도 밀어버릴 수는 있을 듯했다. 책에서 읽은 바에 따르면 국경에는 특별히 물리적인 벽이 있지는 않다고 했으니 그냥 밖으로 밀어내면 될 것 같았다.

"할 수 있을 것 같네. 근데 만약에 저 국경 밖으로 정령이 실수로 나가면 어떻게 돼? 위험한 거 아니야?"

"당연히 지상으로 떨어져 버리지. 그래서 우리는 평소에 국경 근처로는 일반인들이 접근할 수 없게 통제하고 있어. 혹시 네가 저걸 치우다가 발을 헛디딜까 봐 그러는 거라면 걱정 마. 아까 말했지? 너는 지금 영혼만 정령이 된 상태라고. 그래서 실수로 떨어지더라도 네 몸에는 아무런 이상이 없는 상태로 다시 인간으로 돌아갈 뿐이야."

잔별의 설명을 들으니 어느 정도는 안심이 되었다. 오래지 않아 나와 잔별은 다른 정령들이 있는 곳 근처에 도착했다. 정령 하나가 우리를 발견하고는 흐물흐물하게 있던 형태를 정교한 구 모양으로 가다듬고 외쳤다.

"안녕하십니까 폐하!"

그 말을 듣자 미처 우리의 등장을 미처 느끼지 못했던 나머지 정령들도 재빠르게 같은 동작을 취하며 경례했다.

"어, 그래. 거기 너, 어제 창고에 넣어둔 잔해 가져와."

잔별이 가장 멀리 서 있던 정령을 향해 말했다. 나는 놀란 표정으로 그 모습을 바라봤다.

"너…? 폐하라니, 왜 저들이 너를 존대하는 거야?"

정령 사회에 계급이나 차별이 있다는 사실은 들어본 적이 없었다.

"음… 사실 내가 이 나라를 다스리는 정령이거든! 지상을 마음대로 왔다 갔다 하는 건 아무나 할 수 있는 쉬운 일이 아니지. 그것도 인간 한 명을 데리고 말이야!"

그러고 보니 도시에서 봤던 아기 정령의 형태에서도 연예인을 만났을 때와 비슷하게 조금의 존경이 담긴 것이 느껴졌던 것 같기도 했다. 나는 집에 돌아가면 정령의 계급 사회에 관한 내용을 좀 찾아봐야겠다고 생각하며 감탄의 형태를 취하고 말했다.

“오, 그렇구나! 그럼 존댓말이라도 써야 하나? 아니, 써야 하나요?”

“에이, 됐어. 저게 뭔지 살펴보기나 해. 이러다 돌아가고 나면 5시간 넘기겠어.”

나는 기계 장치 덩어리로 다가가서 각각의 부품을 살펴봤다. 기계적인 지식은 많지 않았지만 부품들에 쓰여 있는 문구들을 보니 일련의 센서들인 것 같았다. 개중에는 딱 봐도 온도계처럼 생긴 부품도 있는 것을 보니 더 확실했다. 마침 조금 전 창고에 갔던 정령이 와서 내게 폭발 당시의 파견한 조각을 가져다주었다. 아이보리색의 탄성이 강한 천이었다. 순간 내 머릿속에 한 가지 물체가 떠올랐다. 기상 관측용 특수 풍선인 라디오존데. 그렇다면 역시 이 덩어리는 센서들 뿐일 테니 특별히 위험할 것은 없었다.

‘하지만 이걸 그냥 밖으로 던져도 되는 걸까?’

잔별에게 지상에 피해가 있지는 않을지 묻자 그는 다른 한 정령을 불러서 간단하게 위치 정찰을 하고 오라고 명령했다.

“좀만 기다려 봐. 아마 이동 경로 상으로 보면 여기는 섬이라고는 없는 바다 한가운데긴 한데, 혹시 모르니까 한 번 더 확인해보라고 시켰어."

금방 돌아온 정찰병의 말도 크게 다르지 않았다.

"현재 저희는 북태평양 중심에 부양 중이므로 물체 투하로 인해 인간이 해를 입을 확률은 0에 가깝습니다."

더 이상 망설일 것이 없었기에 나는 양손을 라디오존데에 올리고 천천히 힘을 줘봤다. 잔별이 장담했듯이 힘을 줄 때의 느낌은 인간의 육신에서와 거의 차이가 없었고 라디오존데는 큰 힘을 주지 않아도 잘 밀렸다. 자신감을 얻은 나는 양팔로 라디오존데에 힘을 주며 수영해서 국경 쪽으로 나아갔다. 다른 정령들도 내가 헤엄치는 것을 도왔다. 곧이어 라디오존데는 생각보다 허무하게 국경 밖으로 떨어져 나가 버렸다.

"정말 고마워, 하루!"

"뭘. 그럼 이제 나는 인간으로 돌아가는 거야?"

"응, 아까 온 길 그대로 돌아가 처음 왔던 위치에 서서 잠깐 눈을 감으면 다시 인간이 되어 있을 거야. 그나저나 뭐라도 사례를 하고 싶은데, 우리가 줄 수 있는 게 없네… 어떡하지?"

"음… 가끔 우리 집에 찾아와서 나 만나줄 수 있어? 물어

보고 싶은 게 많은데, 여기에 오래 있으면 부모님이 걱정하실 것 같아."

"그 정도야 당연히 가능하지! 나도 인간 친구를 갖고 싶었거든."

그렇게 나는 정령 친구를 갖게 되었다.

모닥불 죽이기

"이그니스, 저기 밖에 나가보고 싶지 않아? 정말?"

"어휴, 또 그 소리야? 말했잖아, 나는 밖이라는 게 정말 있긴 한 건지도 모르겠다고."

이그니스는 고개를 저으며 말했다. 붉게 빛나는 몸이 조금 작아진 것을 보아하니 매일 똑같이 허무맹랑한 소리를 해대는 브랜트 때문에 정말로 피곤한 것 같았다. 그는 몸을 작은 숯 하나에 쑤셔 넣고 머리만 내민 채 브랜트를 쳐다보았다. 브랜트는 계속해서 바쁘게 움직이며 일하고 있었다. 이그니스가 일하다 말고 쉬면서 자신을 쳐다보고 있는 것을 눈치채지도 못한 모양이었다.

"하지만 저렇게 투명하게 보이는걸! 우리보다 훨씬 크긴 하지만, 저쪽 사람들도 우리처럼 계속 움직이면서 무언가를 하고 있잖아."

"그래, 저기 있는 게 환각이나 광학적인 현상 같은 게 아니라 실제로 존재하는 어떤 것이라고 치자. 그렇다고 무작정 나가보자는 거야? 저게 우리를 어떻게 대할지도 모르잖아. 애초에 이 밖에서는 우리가 살 수 없을지도 모르지!"

브랜트는 시무룩한 표정을 지었지만 덩치는 오히려 커졌다. 아무리 브랜트가 표정 연기를 잘한다 해도 감정에 따라 작아졌다 커졌다 하는 몸의 크기는 어떻게 할 수가 없었다. 브랜트는 이내 연기하기를 포기하고 논쟁적인 말투로 받아쳤다.

“저 사람들은 분명 우리를 싫어하지는 않을 거야. 저 사람들이 우리한테 다가올 때마다 숯이 늘어나잖아. 우리가 살아남을 수 있게 도와주는 사람들이 우리를 싫어한다는 게 말이 된다고 생각해?”

이그니스의 몸은 한층 더 작아졌다.

“그건 그렇지만…”

브랜트는 위아래로 바삐 움직이던 일을 멈추고 이그니스가 쉬고 있는 숯에 이웃한 숯으로 들어갔다. 숯이 반짝하더니 붉은 빛을 내기 시작했다.

“아, 힘들다. 너도 저 사람들이 왜 우리가 계속 이런 일을 하기를 바라는지 물어보고 싶지 않아? 쓸데없이 하늘 쪽으로 힘이 빠져나가기만 하는데, 왜 우리가 계속 이러고 있어야 하는지 말이야. 차가워진 몸으로 벽을 타고 내려오다 보면 벽 바깥쪽으로도 열이 막 빠져나가잖아. 근데도 왜 저 사람들은 우리가 가만히 있으면 안절부절못하고 숯도 늘려주고, 번식도 시키고 하는지 알려면 직접 물어보는 수밖에 더 있겠어?”

“계획이라도 있어? 어차피 아무리 나가고 싶다고 해도 저

단단한 벽을 뚫고 밖으로 나가는 방법도 모르잖아."

이그니스가 조금 설득된 듯한 마음을 내비치자, 브랜트는 신이 났는지 그가 들어가 있는 숯이 더욱 밝게 빛을 냈다.

"그럼! 내가 그런 것도 생각을 안 해봤겠어? 하나 생각난 게 있어서 요즘 내려올 때마다 투명한 쪽 벽으로만 다녀봤거든? 그랬더니 벽이 살짝 녹았다니까! 그래서 내가 한 번은 내려오다 말고 벽에 몸을 딱 붙이고 있어 봤지. 그랬더니 벽이 진짜 얇아지는 거야! 볼래?"

이그니스의 눈이 동그래지며 그녀가 들어가 있는 숯도 약하게 빛을 내기 시작했다. 그녀는 브랜트를 따라 숯에서 나와 투명한 벽 쪽으로 향했다. 옆에서 보니 확실히 다른 쪽보다 얇아진 부분이 보였다.

"정말 우리가 이 벽을 뚫을 수 있구나?"

"그렇다니까. 한 번 해보자! 죽기라도 하겠어?"

흥분한 브랜트의 몸은 이제 평소의 두 배 정도까지 부풀어 있었다. 브랜트만 그랬던 것은 아니고, 이그니스도 상당히 덩치가 불어났다. 이그니스도 내심 나가보고 싶은 마음은 있었지만, 막상 나가자니 그동안 브랜트에게 불가능하다고 말렸던 것이 민망해져서 고민하는 척했다.

"흠… 난 잘 모르겠는데."

"모르겠으면 일단 가자! 지금 네가 나보다 작으니까 네가 저 구멍으로 들어가. 난 그 옆에서 벽을 뚫을게."

브랜트가 이그니스의 팔목을 붙잡고 이미 조금 녹아있는 구멍으로 집어넣었다. 가끔은 귀찮기도 했지만 이그니스는 브랜트의 이런 용기와 추진력이 마음에 들었다.

"자, 최대한 집중해서 이 벽을 녹여보는 거야!"

이그니스와 브랜트는 말없이 덩치를 점점 키우면서 투명한 벽에 착 들러붙어 있었다. 잠시 뒤, 녹아내린 벽이 액체가 되어 숯 위로 뚝뚝 한 방울씩 흘러내리기 시작했다.

"좋아, 우리 잘하고 있는 거 같아! 조금만 더 집중하자!"

브랜트는 힘겨워하면서도 밝은 목소리를 잃지 않고 이그니스의 힘을 북돋웠다. 하지만 이그니스는 잠시 미소를 띠는 듯하다가 갑자기 정색하더니 덩치가 작아지기 시작했다.

"이그니스? 갑자기 왜 그래?"

"저기 봐! 바깥쪽 사람들이 분주하게 움직이기 시작했어! 우리가 나가려는 걸 발견한 게 아닐까?"

그녀의 말대로 바깥쪽 사람들은 평소보다 훨씬 빠른 속도로 이리저리 움직이고 있었다. 무언가를 찾는 것 같았다.

"걱정하지 말고 일단은 나가는 데 집중하자. 저 사람들이 우리를 해칠 리가 없다고. 그냥 움직임이 빨라졌을 뿐이잖아. 아무런 위협도 없다고!"

이그니스는 마음이 불편했지만 일단은 다시 마음을 집중하고 몸집을 불리기 시작했다. 이번 한 번만큼은 브랜트를 믿어보기로 했다.

잠시 뒤, 투명한 벽은 완전히 녹아내려서 두 사람이 통과할 구멍이 생겼다. 밖의 풍경은 안에서 보던 그대로였고, 사람들은 여전히 바쁘게 돌아다니고 있었지만 조금 전보다 더 겁에 질린 듯한 풍경으로 이그니스와 브랜트를 바라보았다. 여기저기서 비명이 들려서 상당히 시끄러웠다. 이그니스는 생존 처음 들어보는 소리에 크게 위축되었지만 덩치는 더 커진 것이 느껴졌다. 브랜트의 몸도 더욱 커져 있었다.

"이거 봐, 내가 뭐랬어! 나오니까 먹을 게 더 많잖아. 덩치도 커졌고! 저 밑으로 내려가 보자. 저기 옆에 깔린 거, 맛있어 보이지 않아?"

브랜트는 양털처럼 얇은 선들이 이리저리 얽혀 짜인 물건을 가리키며 말했다. 이그니스도 정말 맛있어 보인다고 생각하던 참이었다.

"왜 이 사람들은 우리한테 이런 건 안 주고 숯이나 주고 있었던 거지? 숯은 먹기 어려운데."

"모르겠고, 얼른 가보자!"

브랜트가 다시 이그니스의 손목을 붙잡고 그 깔개 쪽으로 뛰어갔다.

"으악! 불이 카펫 쪽으로 옮겨붙는다!"

바깥쪽 사람 중 한 명이 소리쳤다.

"카펫이 저 음식 이름인가 보네. 그렇지, 브랜트?"

"흠, 흠, 바깥사람 언어를 꽤 오래 분석해온 사람의 입장에서 봐도 그게 맞는 것 같군. 근데 왠지 다들 기분이 안 좋아 보이는데, 왜 그런 걸까?"

"그래? 나는 잘 모르겠는데. 역시 바깥사람 전문가는 다르네."

둘이 잡담을 나누며 카펫을 향해 가고 있을 때, 갑자기 바로 옆에 바깥사람의 발이 나타나더니 머리 위쪽에서 치이익 하는 소리가 들렸다.

"으악, 브랜트! 저게 뭐야! 막 하얀 가루가 떨어져!"

"모, 모르겠는데? 저 바깥사람은 왜 우리한테 저런 걸 뿌리는 거지? 혹시 먹을 걸 주는 건 아닐까?"

브랜트는 그렇게 말하며 점프해서 가루를 잡아보려고 했다. 이그니스는 왠지 꺼림칙해서 가루에 닿지 않는 곳으로 뛰어가서 브랜트를 바라봤다. 그런데 브랜트에게 하얀 가루가 닿는 순간 브랜트가 비명을 질렀다.

"브랜트, 왜 그래! 괜찮아?"

"윽, 으으윽, 이 가루, 이 가루가 내 힘을 뺏어가고 있어! 으윽, 몸이 너무 차가워…"

"브랜트, 안 돼! 너 크기가 엄청나게 빨리 작아지고 있어!

잠깐만 버텨 봐, 지금 구하러 갈게!"

"아니야, 난, 난 더 이상 버틸 수 없어! 빨리 돌아가, 위험해! 위를 봐!"

이그니스의 위쪽에서는 아까 그 바깥 인간이 새빨간 물건을 손에 쥐고 다시 가루를 뿌리려 하고 있었다. 이그니스는 브랜트를 두고 가고 싶지 않았지만, 다른 친구들을 지키려면 어쩔 수 없었다.

"브랜트, 정말 미안해… 그동안 정말 고마웠어…"

브랜트는 무어라 대답하려는 듯 알 수 없는 소리를 냈지만, 미처 한 단어도 발음하기 전에 하얀 가루에 덮여 사라지고 말았다. 이그니스는 울음을 참으며 왔던 길을 따라 뛰어갔다. 친구들을 살려야 한다는 간절함으로 쏟아지는 하얀 가루를 용케 피해 가며 투명한 벽이 다시 보일 때까지 뛰었다. 하얀 가루에 스칠 때마다 느껴지는 심한 열 손실은 브랜트가 얼마나 힘들었을지 짐작하게 했다.

가루 때문에 좁아진 시야 속에서도 투명한 벽이 보일 정도로 가까이 다가갔을 때 이그니스의 눈에 들어온 것은 처참한 숯 더미의 모습이었다. 빨갛게 빛을 내던 친구들도, 친구들이 잠을 자고 있다는 것을 알려주던 붉은 숯도 모두 보이지 않았다. 벽은 깨져 있었고 벽 안쪽까지도 하얀 가루로 뒤덮여 있었다. 이그니스는 망연자실해서 그 자리에 그대로 주저앉고 말았다. 바깥 인간들의 말소리가 들렸다.

"저기 불꽃이 남아 있다! 저쪽! 난로 앞에! 저것만 잡으면 돼!"

아, 역시 바깥 인간들은 우리를 죽이고 싶었던 거였어. 브랜트, 이 멍청한 것. 우린 여기로 나오면 안 되는 거였어. 그냥 벽 안에서 얌전히 살았다면 편했을 텐데. 브랜트, 네가 우리 모두를 죽인 거야. 그래도 너를 탓하지는 않을게. 바깥 사람들이… 이렇게나 폭력적일 줄이야. 순식간에 모두를 죽여버렸네. 그동안 고마웠어, 브랜트.

이그니스는 그대로 누워 하얀 가루를 맞으며 시야가 검게 물드는 것을 느끼다 눈을 감았다. 마지막 순간, 바깥 인간의 목소리가 들렸다.

"아, 죽는 줄 알았네. 불 다 잡았다."

다른 세상의 사람이 살아가는 이야기

왜 하필 이곳에서 태어났는지,

그걸 알 수 있는 존재는 없다.

이곳인지, 왜 하필 여기인지, 왜 하필 나인지.

-천선란, 『노랜드』

아이스크림

"개구리가 노트북을 삼킨 포스트잇을 던지고 고양이는 샤프심과 함께 작동하다."

한참을 고민하던 번역기가 겨우 내놓은 답이었다. 그럼 그렇지. 제아무리 지구상에 있는 모든 언어를 번역할 수 있대도 이런 말 같지도 않은 소리까지 알아들을 수 있을 리가… 나는 한숨을 푹 내쉬고는 내 앞의 처음 보는 생명체를 바라본다. 보호 장비 안으로 보이는 매끄러운 얼굴이 아까보다 자주 주변을 두리번거리는 걸 보니 마음이 좀 급해진 모양이다.

'이제 뭘 어떻게 더 해야 하지? 아니 이미 도망갔어야 되는 건가?'

하지만 아무리 봐도 이건 술 취해서 돌아다니는 아저씨들보다도 덜 위험해 보인다. 그동안 내가 들어본 외계인 목격담 중에 사람이 죽은 건 많이 없었으니까 괜찮을 거다. 아니 외계인 만나서 죽은 사람 얘기는 해줄 수 있는 사람이 없어서 그런 건가? 뭐… 이미 이렇게 된 걸 어떡하겠어.

그때 이 생명체 뒤에서 뭔가 빛이 반짝인다. 이 친구가 종전과 다른 표정으로 뒤돌아보는 걸 보니 얘는 역시 저걸 타고 온 외계인이 맞나 보다. 곧 똑같이 생긴 외계인이 네모난 물건을 들고 걸어온다. 내 앞에 거의 20분째 서 있던 외계인이 그 물건을 받더니 아마도 좀 밝아진 듯한 표정을 하고서 받은 물건을 작동시킨다.

"이제 나의 언어를 흡수하는가?"

아, 번역기였구나! 좀 어색하긴 해도 지구의 말이 출력되는 걸 보니 이들은 지구에 한두 번 온 게 아닌가 보다. 재질은 지구에서 구할 수 있는 거랑 크게 달라 보이지 않는데. 어쩌면 우리랑 비슷한 문명을 발전시켜온 걸지도 모르겠다. 아니 애초에 얘들이 외계인이 맞긴 한 건가?

내가 저 네모난 번역기를 뚫어져라 쳐다보고만 있자 외계인이 한 번 더 말을 걸어온다.

"지구인? 들리시나요?"

말이 좀 빨라진 게 초조해 보인다. 아, 대답 천천히 하는 습관 좀 고쳐야 하는데, 하고 생각하며 나는 얼른 대답한다.

"네, 그…래서 저한테 하려고 하신 말이 뭔가요?"

그들의 번역기가 내 말을 전달하자 뒤따라왔던 외계인은 내 앞에 있는 동료에게 무어라 하고는 자신들의 (아마도) 우주선으로 돌아간다.

"당신의 집에는 냉장고가 존재할 것으로 추정하고 있다. 맞습니까?"

냉장고?

"어… 네 물론 있죠. 근데 냉장고는 왜…?"

외계인이 아까부터 들고 있던 동그란 물체를 내민다.

"이것을 짧은 시간 그곳 안에 두고 있길 원해요. 나의 자동차 냉장고 동력 복구하고 있다. 이미 많이 길게 더운에 보관됨."

냉장고에 보관되어야 하는 물건이라면 확실히 너무 오래 한여름 밤의 공기에 노출되고 있네. 근데 지구 밖에서 온 물건을 함부로 집 안에 들이면 안 될 거 같은데.

"근데 이게 뭔데요?"

"지구인들이 아이스크림이라고 호출하는 물건과 유사함. 우리 자동차 동력 복구될 때까지 너 냉장고 필요하다. 시간 많게 안 걸린다. 보상해 줄 거야. 우리 자동차에 양성자 79개인 물건 많이 있습니다. 지구 단위 5kg 줄 수 있어요."

아이스크림?? 아이스크림 잠깐 보관해주면 금괴 5kg을 준다고?? 나 같은 일반인에게 이건 거부할 수 없는 부탁이다. 방사성 물질이거나 그런 위험한 물질이 있었으면 난 이미 여기 서 있지 못했을 거니까 그렇게 위험하지도 않을 거다. 그리고 이거 거절하면 무슨 일이 일어날지도 모르는 거잖아? 지구어 번역기를 만들고 우주선으로 여기까지 날아올 정도 기술력이면 나 정돈 죽이고 들어갔어도 되는 건데 정중하게 부탁하는 건 날 해칠 생각이 없는 거야. 금괴 5kg은 자기합리화를 하기에 충분하고도 남는 돈이었다.

"감사합니다!!"

나는 '아이스크림'을 받아서 시키는 대로 냉장고에 넣었다. 그리곤 외계인과 앉아서 우주선을 바라보며 이야기를 나눴다. 그와 나란히 앉아있는 것이 두렵긴 했지만, 그의 말에 불복하는 것이 더 위험할 것 같았다. 화성에서 외행성들을 탐사하러 가는 우주선이었는데, 계산 오류로 지구 중력권에 들어와서 이곳으로 추락했고, 멀리 가는 우주선이었으므로 연료는 충분해서 중앙 컴퓨터 시스템만 재부팅 하면 된다고 했다.

30분쯤 뒤에 우주선에서 불이 켜지며 굉음이 들렸다. 외계인은 이제 가야겠다며 내게 인사를 건넸다.

"저 혹시 약속한 보수는…?"

* * * * *

밖에서 들려오는 굉음에 눈을 떠보니 앞마당의 벤치였다. 내가 왜 여기서 잠들었는지 생각할 겨를도 없이 눈앞의 광경이 내 사고를 장악했다. 거대한 원반 모양의 물체가 하늘로 날아오르고 있었던 것이다.

'UFO??'

잠에서 막 깬 몽롱한 상태에서도 본능적으로 영상을 남겨야 한다는 생각에 내 폰을 찾으러 집으로 뛰어 들어갔다. 폰을 들고 창문 앞에 섰을 때, UFO는 이미 사라진 상태이었다.

아이는 꿈꾸고 그대는 영원히 춤추네

자네, 영원히 춤추는 인형에 대해 들어본 적이 있는가?

이 넓은 가게를 어떻게 나 혼자서 보고 있는지 궁금하지 않았나? 늙을 대로 늙어버린 이 노인네가 말일세. 아아, 지금 이 가게에 춤추는 저주 인형이 돌아다니고 있다는 말은 아니니 겁먹지 말고. 내가 말하는 인형은, 영화에 나오는 저주 인형들하고는 다른 것이니까. 사람에게 해를 끼치는 물건은 아니야.

지금이야 나 혼자지만, 몇 년 전만 해도 이곳에는 한 명의 직원이 더 있었네. 이 촌구석에서 그 정도면 나름 큰 가게란 말일세. 오면서 봤지? 여기 말고 다른 가게도 다 혼자서 일하고 있지 않던가. 당연히 나도 누군가를 돈을 내고 고용할 처지는 아니었어. 아무리 동네에서 제일 큰 가게라 해봤자 들어오는 돈은 얼마 안 되니까. 생각해보게. 여기 사는 사람들이라곤 다 늙은이들 뿐인데, 돈이 어디서 나서 써대겠나. 우리 가게 직원은 내 손자였지. 나하고 머리에 피도 안 마른 손자 하나. 이렇게 둘이서 이곳을 돌보면서 지냈어.

"할아버지, 안녕!"

그날은 다른 날과 다를 바 없이 평범한 날이었네. 나는 여기 이 자리에 똑같이 앉아서 밖을 내다보며 쓸데없는 생각을 하고 있었지. 고민스러운 일이 있는 사람마냥 턱을 괴고 있으니 따뜻하고 텁텁한 공기에 절로 잠이 쏟아지더군. 그런데 이 갑자기 얇은 목소리가 들려오는 게 아닌가. 이 동네 사람 목소리는 아니었지. 긴가민가해서 비몽사몽한 표정으로 눈을 비비며 일어나 보니 손자 녀석이 문밖에서 나를 보고 인사를 하고 있었네. 때묻지 않은 얼굴로 활짝 웃는 모습이 어찌나 예쁘던지.

반가운 마음에 서둘러 나가서 우리 시우를 안아 들고 나니 그제야 뒤에 장승이라도 된 듯 뻣뻣하게 서 있는 아들놈의 다리가 보이더군. 내가 낳은 아들놈은 본체만체하고 손자만 아는 척했던 게 무안해서 무어라 한마디 농담이라도 할 양 고개를 들었는데 글쎄 표정이 얼마나 굳어있던지! 어이구, 하는 곡소리를 뱉어내고 나서야 안으로 들어가자는 말이 나오더군.

사실 나는 자상한 아버지와는 거리가 멀었네. 직장에서 기분 나쁜 일이 있는 날에는 시도 때도 없이 아들놈 방문을 밀치고 들어가 화풀이하곤 했지. 어쩌면 이리도 굴곡진 인생은 다 내 행패에 대한 천벌이 아닌가 싶네. 어쨌든 나이를 먹고 보니 철이 좀 들긴 하더군. 우리 아들이 독립해서 나가고 난 뒤에야 정신을 차렸으니 미안하다 말할 기회도 없었어. 언젠가는 꼭 못 해준 아버지 노릇을 해줘야겠다고 별렀지만 이미 나간 놈한테 내가 해줄 수 있는 것도 없고, 만날 일도 없어서 한없이 미루기만 했지. 결국에 미안하단 말을 꺼낼 수 있었던 것은 애 엄마 장례식에서였어.

아, 미안하네. 이야기가 다른 데로 샐 뻔했구먼. 그래서 내가 하고 싶은 말은, 그때 그 표정은 난생처음 보는 표정이었다는 걸세. 20년 좀 안 되는 시간 동안 애를 갈구면서 매일같이 봐온 게 분노와 억울함, 슬픔이 뒤섞인 그 애의 썩은 표정이었는데도 말이야. 얼마나 비통한 표정이었을지 좀 가늠이 가나? 그러니 무슨 일이 있다는 건 모르고 싶어도 모를 수가 없었지. 가게로 들어가서 얼른 시우 손에 갖고 놀 장난감을 쥐여주고 아들놈을 방으로 불러들였네.

"인마, 표정이 왜 그래? 무슨 일 있나?"

그놈은 한동안 말이 없었어. 그사이에도 딱딱한 겉 표정 안쪽에서 오만 가지 표정이 스쳐 지나가고 있는 게 느껴지더군.

"아버지, 우리 시우… 잘 키워주실 수 있죠?"

그게 그놈이 내뱉은 첫말이었어.

"아니, 그게 무슨 소리냐? 내가 왜 갑자기 시우를 키워?"

"아버지 저… 벚꽃 지는 거 못 보고 죽습니다."

말 그대로 청천벽력이었지. 그 녀석은 이제 막 40줄에 들어선 참이었는데, 벌써 간다니. 그때가 3월 마지막 날인가, 그랬으니 한 달도 못 있다 간다는 게 아닌가.

아들놈은 이미 마음의 준비를 단단히 하고 왔는지 담담하게 자기가 무슨 병에 걸렸단다, 얼마 전에 몸이 피곤하길래 병원에 갔다가 알았다, 하는 소리를 해대는데 한마디도 들리지 않았어. 내 마음 이해하지? 그냥 그러고 멍하니 있다가 마지막이 될지도 모를 그놈 품에 안겨서 아이처럼 울어버리고 말았네.

아들놈은 우리 가게에 찾아오고 딱 일주일 만에 가버렸어. 그 뒤로는 끔찍한 날들이었지. 이제 내게 남은 혈육이라고는 시우뿐이었네. 시우에게는 아빠의 죽음을 숨기느라 바빴지만, 마음속으로는 한 명이라도 남아 내 곁에 있어 주는 것이 얼마나 고마웠는지 몰라. 아들놈이 애도 남기지 않고 죽었다면 나도 그 길을 따라가 버렸을지도 모르지.

나는 최선을 다해서 시우가 아빠가 죽었다는 것을 눈치채지 못하게 하려고 했네. 부질없는 짓이었지. 내가 한 거짓말이, 죽은 아들놈이 먼저 보낸 부인의 죽음을 숨길 때 했던 것이랑 똑같다더군. 더는 숨길 수가 없었어. 고아가 되어버린 가여운 아이에게 아버지의 유품을 내밀었네. 아직 나도 열어

보기 전이었는데 그 상자를 왜 시우에게 먼저 주었는지는 모르겠어. 아마 정신이 없어서 그랬겠지. 시우는 그걸 상자째로 들고 자기 방으로 들고 가더니, 한 시간쯤 뒤였던가, 나를 불렀어. 옷가지랑 사진 같은 잡동사니들은 이미 다 한 번씩 들춰봤는지 여기저기 흩어져 있었고, 시우는 나무로 된 인형을 하나 들고 있었네. 어찌나 정교하게 깎여 있던지, 자네가 봐도 나무 특유의 색만 아니었다면 요즘 나오는 바비 인형의 일종이라고 착각했을 걸세.

"아빠가 만든 건가 봐요."

시우의 말에 나는 아들놈이 무슨 일을 하고 살았는지도 몰랐다는 것을 새삼 깨달았어. 나중에 들어보니까 직접 의뢰를 받아서 가구를 만들어주는 목수로 일했다고 하더라고. 그 나무 인형 뒤에는 포스트잇이 하나 붙어있었네. 시우가 읽지 못하게 하려고 그랬는지 한자로 쓰여 있었어. 기억나는 대로 읊어보면, 대충 이런 내용이었네.

안녕하세요, 아버지. 찾아내 주셨군요. 이건 제가 시우에게 주는 마지막 선물이에요. 사랑하는 사람에게 이걸 주라고 말해주세요. 만약 그 사람이 시우에게 이 인형을 돌려준다면, 아마 둘은 다시 만날 일이 없다는 뜻이겠죠. 하지만 저는 알아요. 시우는 한 번 사랑했던 사람은 절대 잊지 못

한다는 것을. 이 물건은 시우를 도와줄 거예요. 다시 돌아온 뒤에, 이 인형은 선물 받았던 사람, 시우가 사랑했던 사람의 모습을 따라 할 거예요. 선물 받았던 동안 그 사람이 가장 많이 했던 모습을요. 시우가 이 인형을 머리맡에 두고 잠에 들면, 시우의 꿈에는 인형이 따라 하는 모습을 한 그 사람이 나타날 거예요. 시우는 더 이상 그 사람을 그리워할 필요가 없게 되겠죠. 이 인형의 효과는 시우한테 말해주지 마세요. 저는 시우가 자신의 꿈에 사랑했던 사람이 나오는 이유를 몰랐으면 좋겠어요.

하지만 나는 편지의 내용을 모두 시우 앞에서 읽어주었네. 말해주지 말라는 부분이 나오기 전에 설명을 다 해버리니, 어쩔 도리가 있어야 말이지.

시간이 지나 시우에게도 처음으로 가족 외에 사랑하는 사람이 생겼네. 그녀를 너무나 사랑했기에, 시우는 첫사랑인 그녀에게 아빠가 남겨준 유품을 건네준 모양이야. 그 사랑은 오래가지 않았지. 일주일도 못 갔었던 걸로 기억하네. 그 나이 때 사랑이란 다 그런 것이니까. 그런데 아들놈이 말한 것처럼, 내 손자는 정말로 지나간 인연을 못 잊는 성격이더군. 다른 아이들 같으면 금방 털어냈을 텐데, 며칠 동안 끙끙거리면서 힘들어하다가 그녀를 찾아갔어. 짐작하겠지만, 그 인형을 돌려받기 위한 것이었지.

시우의 그녀는 춤추는 것을 참 좋아했나 보더군. 어느 날 밤에 시우 방에 몰래 들어가 보니 그 인형이 발레를 하는 것 같은 포즈를 지은 채로 있었거든. 그 포즈는 하룻밤마다 다른 것으로 바뀌었어. 아무래도 너무 빨리 바뀌어서 사람처럼 움직이면 너무 섬뜩했겠지.

우리 집안엔 무슨 저주라도 쓰인 걸까? 나만 빼고 다들 일찍 죽는 걸 보면 말이야. 시우도 젊은 나이에 이 세상을 떠나고 말았네. 두 번째 사랑을 찾기도 전이었네. 나에게 그 인형은 이제 아들놈뿐만이 아니라 시우의 유품이기도 한 게지. 그런데 인형은 시우가 없는데도 밤마다 다른 자세를 취하더군. 저승에서 내 손자는 달콤한 꿈을 매일매일 꾸고 있는 모양이야. 그럼 이 인형은 영원히 춤을 출 테지.

또 한 번의 평범한 하루

10월 어느 날에 해가 뜨지 않았다. 그리 특별한 일은 아니었다. 올해 들어 한 달에 한두 번은 해가 자취를 감추곤 했다. 하지만 10월의 그 날은 조금 달랐다. 그날, 사람의 마음 속을 밝게 비춰주던 해마저도 뜨지 않았다. 그리고 그날을 계기로 사회는 완전히 변했다.

다시 지금. 아인은 몸에 딱 맞는 정장을 입고 홋카이도 연방 정부의 제1 캠프인 하코다테 캠프 공동숙소에 앉아있었다. 아인은 초조한 표정으로 옅은 한숨을 뱉으며 시간을 확인했다. 5시 39분. 예상 일출 시각 10분 전이었다. 그는 깊은 뱃속에서부터 올라오는 묵직한 한숨을 뽑아내어 아직도 익숙해지지 않은 긴장감을 가라앉히며 몸을 일으켰다.

"신의 가호가 있기를."

맞은편 침대에서 다부진 라틴아메리카계 남자가 아인에게 낮은 목소리로 인사했다.

"아, 노부히코, 자꾸 목소리 깔지 말라니까. 이따 보자."

아인은 투정을 부리는 듯한 말투로 대답하고는 두꺼운 철문을 힘주어 밀며 화장실로 들어갔다. 그는 문을 잠그고 욕조 옆에 놓인 의자에 걸터앉았다.

"참… 아무리 해도 익숙해지지가 않네."

그는 휴대폰 잠금을 풀어 바탕화면의 사진을 보며 조용히 중얼거렸다. 끙, 하고 몸을 일으켜 휴대폰을 욕조 바닥에 조심스레 내려놓고 세면대 앞에 섰다. 창밖으로 보이는 해변은 아직 어둡기만 했다.

5시 41분. 풍경이 조금씩 밝아지고 있는 것 같기도 했다. 오늘은 해가 뜨려나.

5시 43분. 아인은 문득 욕조에 넣어둔 휴대폰을 열어 최근 2주간 해가 뜬 날 수를 찾아본다. 닷새.

5시 47분. 해가 뜨려면 점점 하늘에 빛이 드리워져야 하는 시간이었다.

5시 48분. 역시 오늘도 해가 뜨지 않으려는 듯했다. 아인은 창가에서 조금 떨어져 문가로 다가간다.

5시 49분. 아인은 천장에 달린 스피커를 바라본다.

5시 50분. 스피커에서 익숙한 음성이 흘러나온다. “오늘은 해가 뜨지 않았습니다. 매뉴얼에 따라 행동해 주십시오.”

아인은 짧은 기도를 올리고 철문에 붙어 귀를 가져다 댔다. 특별히 큰 소리는 들리지 않았다. 그는 문에서 살짝 떨어져 노부히코를 불렀다.

“노부히코? 별일 없지?”

답이 없었다. 아인의 표정에 불안감이 드리우기 시작했다.

"노부히코?"

여전히 밖은 조용했다. 아인은 결의에 찬 짧은 숨을 내뱉고 문에 달린 철제 가림판을 살짝 당겨 창문을 드러냈다. 창을 통해 화장실 밖의 모습을 보니 노부히코는 네다리로 기며 방 안을 배회하고 있었다. 호기심 가득한 표정으로 눈앞에 보이는 것을 툭툭 건드리며 돌아다니는 것이 꼭 새끼 원숭이 같았다.

"아, 노부히코!"

아인은 짧게 탄식하며 창문을 닫고 벽에 기대어 앉았다. 그는 고개를 떨구고 깊은 한숨을 쉬었다. 잠시 그대로 앉아 감정을 추스르다 욕조에 넣어둔 휴대폰을 꺼내 금환일식 때의 태양 같은 모양의 로고를 눌러 연방 정부 공식 앱을 열었다.

"노부히코, 그동안 잘 버텼는데…"

타락자 신고 절차를 밟으며 아인은 눈물이 차오르는 것을 느꼈다. 함께 지내던 이가 타락 현상을 이기지 못하고 하루아침에 격리당하는 신세가 되는 일을 한두 번 겪은 것은 아니었지만 노부히코는 특히 오랜 시간을 보내온 동료이기에 더욱 안타까웠다. 하지만 아인은 이미 누구에게도 정을 주어서는 안 된다는 것을 알고 있었기에 타락자 신고의 마지막

과정을 거치면서도 눈물을 참아낼 수 있었다.

잠시 뒤 밖에서 출입문이 열리는 소리가 들렸고, 노부히코의 거친 비명이 짧게 울리더니 바닥에 무언가 끌리는 소리와 함께 곧 잠잠해졌다. 아인은 창문을 열어 방을 한 번 더 확인하고 문밖으로 나섰다. 세 달 동안 함께 지내던 노부히코가 없는 방안은 역시나 허전했다. 아인은 룸메이트가 사라질 때마다 하던 대로 그의 짐을 정리하기 시작했다. 2급 타락자 판정을 받아 수용소로 끌려간 지난번 룸메이트였던 시안과 달리 노부히코는 증상으로 볼 때 5급을 받을 확률이 높으니 지금 노부히코의 가족들이 사는 도쿄의 하급 타락자 관리 시설로 보내면 그가 받아볼 수 있을 것이었다.

노부히코의 짐 정리를 마치고 아인은 크게 기지개를 한 번 폈다. 흘깃 시계를 보니 출근 시간이 다가오고 있었다. 서둘러 가방을 챙겨 문밖으로 나섰다. 해가 뜨지 않은 날에는 밝은 날보다 업무량이 많아서 늦게 나간다면 오늘 안에 집에 돌아오기 어려울지도 몰랐다. 오늘도 해는 뜨지 않았지만, 또 한 번의 평범한 하루가 시작되었다.

사람이 살아가는 이야기

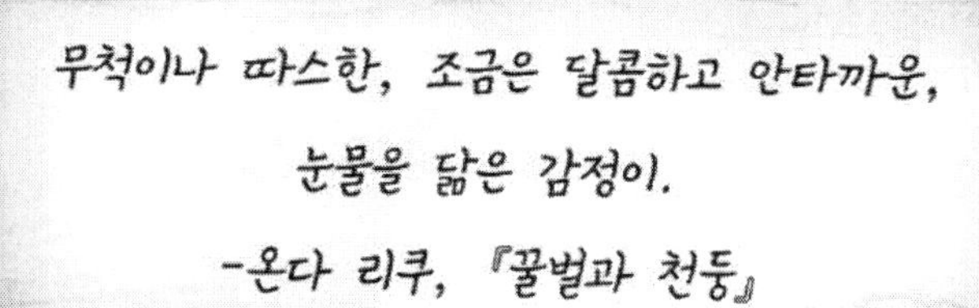
무척이나 따스한, 조금은 달콤하고 안타까운,
눈물을 닮은 감정이.
-온다 리쿠, 『꿀벌과 천둥』

일출을 보러 갑니다

“어색하게 걸어가기엔 먼 거리죠?”

“아, 예. 그렇네요.”

골똘히 생각에 잠겨 있던 듯한 남자가 퍼뜩 정신을 차리며 대답했다.

“성산에는 무슨 일로 가십니까?”

“말씀드리기 복잡하군요. 생각 정리할 시간을 좀 주시지요. 그쪽은 어떠십니까?”

“일출을 보러 갑니다.”

구레나룻 아래쪽부터 턱까지 멋스러운 수염을 기른 남자가 처진 눈꼬리와 대비되는 옅은 미소를 띤 채 말을 이었다.

“마지막으로 일출다운 일출을 본 게 언젠지 모르겠군요.

저는 일출 보는 것을 좋아했습니다. 매일 아침 일어나 세상에 알록달록한 색이 돌아오는 장관을 보며 자고 있는 아이들의 머리를 쓰다듬어 주곤 했죠. 고된 하루 중에서 유일하게 평화로운 순간이었습니다. 물론 아시다시피 평화로운 일상이란 유지되는 일이 없지요.

그 일이 터졌을 때 우리 아이들은 두 돌도 되지 않았을 때였습니다. 결혼한 지도 2년이 채 되지 않았지요. 그쪽도 비슷하셨겠지만 막 꾸린 가정을 떠난다는 게 참 힘든 일이

더군요. 입대하고 나서 정신 감정을 받아보니-당시는 그래도 인권이 유지되던 시절이었습니다-정신이 아주 망가져 있다더군요. 당연한 일이지요. 가족과 함께이던 시절부터 금가 있던 정신에 이런 충격까지 닥치니 멀쩡할 리가 있겠습니까. 어쨌든 정신 감정에서 최하를 겨우 면한 등급이 뜨니 전방으로는 배치를 안 하더군요. 후방에서 복무하는 건 나름 편했습니다. 정신이 망가져 있던 게 오히려 다행이었죠. 사실 군 생활이 원래 하던 경호원 일보다 나았습니다. 군기야 뭐 경호원 시절이 더 심했고, 육체노동은 딱히 기피하는 편이 아니라서요. 그러다 보니 아픈 마음은 금방 치유되더군요. 그래도 안 힘든 건 아니었습니다. 후방이긴 했지만 가끔 습격이 있기도 했고, 그렇지 않더라도 전방에서 죽어 나가는 동료들을 보는 것만으로도 고통스럽기는 하더라고요.

그래도 어떻게 시간을 보내다 보니 이렇게 전쟁이 끝이 났네요. 이제 아내랑 했던 약속을 지키러 갑니다. 아이들도 볼 수 있겠죠. 그제야 일출은 비로소 진정한 일출이 될 겁니다."

라일락 꽃을 심어 놓을게

집에 돌아오니 TV 옆에 놓인 유리병에 라일락 꽃이 심겨 있었다. 그 꽃을 본 순간 눈물이 터져 나오는 것을 막을 수는 없었다.

유준을 처음 만난 건 오 년 전 한 카페에서였다. 나는 그날 카페에서 있었던 마츠다 린의 공연을 보러 갔었고, 유준은 경호 업체의 유니폼을 입고 있었다. 당시 대학을 막 졸업한 사회초년생이었던 나는 지하철에서 두 정거장 늦게 내리는 바람에 공연 시작 시간에 늦고 말았고, 겨우 카페에 들어가 마츠다가 잘 보이지도 않는 구석에 자리를 잡았다. 그리고 그 옆에 근육질 몸과 어울리지 않게 순수한 표정으로 경호 업무는 잊고서 마츠다를 홀린 듯 바라보고 있던 유준이 서 있었다. 배우 같은 외모는 아니었지만 크고 맑은 눈이 매력적으로 느껴졌다. 한 시간 동안 진행되었던 공연 내내 나는 그를 곁눈질로 힐긋힐긋 쳐다보았다. 나는 앞 사람에게 가려져 보지도 못한 마츠다의 공연에 집중하느라 유준은 나의 시선을 느끼지 못한 모양이었다. 나는 공연이 끝난 후 선배에게 꾸중을 들어 시무룩한 표정으로 지하철역을 향해 걸어가는 유준에게 말을 걸었다. 평소 같았다면 꿈도 못 꿀 일이지만 마츠다의 사랑 노래를 잔뜩 듣고 나서 인지, 아니면 사복을 입은 유준의 모습에 한눈에 반해버려서인지 단번에 용기가 났던 것 같다.

"저기요!"

자기에게 하는 말이라고는 생각하지 못했는지 유준은 어딘가에 열중한 채 내 말을 무시하고 발걸음을 옮겼다. 다섯 번쯤 부르고 나서야 유준을 멈춰 세울 수 있었다.

"네? 저요?"

영문을 모르겠다는 표정으로 큰 눈을 동그랗게 뜬 채 뒤돌아 나를 바라보는 모습이 귀여웠다. 높지도 낮지도 않아 평범한 목소리도 마음에 들었다.

그렇게 우리는 연인이 되었고, 1년 뒤 동거를 시작했다. 나는 상당한 오타쿠였기 때문에 유준이 싫어할 줄 알았지만 유준도 내가 일본 애니를 좋아하는 것 못지않게 빠져 있는 것이 있었다.

"아니, 진짜 된다니까?"

유준은 그날도 초능력은 존재한다면서 열변을 토했다. 전날부터 같은 말을 반복해도 믿어주지 않는 내가 답답한 모양이었다. 나도 이제는 초능력이 실존한다는 사실을 알지만, 솔직히 어느 날 갑자기 무턱대고 자신이 초능력을 할 줄 안다고 주장하는 남자친구를 믿어줄 수 있는 사람이 얼마나 될까?

"내가 그동안 너한테 애니 얘기한 게 많아서 받아주는 거지, 다른 사람한테 가서 그런 소리 하지 마라. 손절 당해, 그러다가."

장난스럽게 말했지만 나도 조금은 지쳐가고 있었기 때문에 꽤 진지했다. 하지만 유준의 태도는 바뀌지 않았다.

"아, 진짜라니까? 그렇게 못 믿겠으면 오늘 보여줄게."

나는 이맛살을 찌푸렸다.

"보여준다고? 어떻게?"

"우리 집 밖에 라일락 있지? 내가 오늘 밤에 라일락 한 송이 침대 위에 올려놓는 거 보여줄게."

"그건 그냥 네가 꺾어서 들고 오는 거잖아. 그게 초능력이냐?"

내가 이해할 수 없다는 표정으로 답했다.

"아, 당연히 가만히 앉아서지. 그럼 믿어줄 거지?"

"그게 가능해? 그걸 보여주면 당연히 믿지."

그날 밤에 집으로 돌아가서 유준은 거실에 앉아서 나에게 방으로 들어가도록 하고는 침대에 누운 내게 영상통화를 걸었다. 이때까지만 해도 나는 반신반의하고 있었지만, 유준이 이제 집중해야 한다며 카메라를 끈 지 얼마 되지 않아 미리 열어둔 창문 밖에서 라일락 한 송이가 떠오르는 것이 보였다. 그 라일락은 정말 유준이 말한 대로 둥둥 떠서 내가 누워 있던 침대를 향해 밀려오더니 침대 위에서 툭 하고 떨어졌다. 벙찐 표정으로 멍하니 라일락 꽃을 쳐다보고 있을 때 휴대폰에서 유준의 목소리가 흘러나왔다. 성공했다는 확신은 없었는지 약간의 불안이 섞여 있었다.

"어때? 봤지?"

그날 이후 나도 초능력의 존재를 믿기 시작했다. 누구라도 그 장면을 봤다면 믿을 수밖에 없었을 것이다. 유준은 내가 그에게 그랬던 것처럼 신이 나서 초능력에 대해 자주 떠들었다. 하나 다른 점이 있다면 유준은 내가 하는 애니 얘기에 전혀 관심이 없었지만 나는 유준의 설명에 귀를 기울이지 않을 수 없었다는 점이었다.

"그러니까 이게 초능력이라는 게… 영화에서 보면 염력 같은 걸 태어날 때부터 얻고 그러잖아? 근데 사실은 그렇지가 않단 말이야. 다 노력으로 얻는 거라구. 나만 해도 염력을 해보려다가 눈에 보이면 잘 안되길래 멀리 있는 걸 느끼는 것부터 연습을 했는데 그게 아직 완벽하지 않아서 염력도 미숙한 거거든."

"나도 처음에는 초능력이 있다는 걸 못 믿었었어. 근데 닥터 스트레인지에 나오는 것처럼 초능력을 가르치는 곳이 진짜 있더라고? 지금 하는 원거리 감각이랑 염력도 거기서 배운 거야. 나중에 한 번 같이 갈래?"

"근데 말이야, 초능력이 있어도 별 의미는 없는 것 같아. 어차피 일반적으로 배울 수 있는 초능력에도 한계가 있고, 그마저도 웬만하면 쓰지 말라고 항상 당부하시니까. 그래도 뭐랄까, 특별한 능력이 있다는 자신감 같은 건 있어. 사실 나는 할 줄 아는 게 없으니까… 그것 때문에 배우는 거지 뭐. 나 혼자 만족하는 거지만."

우리는 그 후로도 몇 달 동안 연애를 이어갔고, 그동안 나도 초능력에 입문했다. 내가 처음으로 능력 발현에 성공했을 때 유준은 원거리에서 염력을 사용하는 데에 거의 통달해 있었다. 아직 눈에 보이는 물체에 대해서는 집중력이 흐트러져서 잘 쓰지 못했지만 그래도 눈을 감고 염력을 시도하는 걸로 어느 정도 극복할 수 있었다. 연애를 시작한 지 2년이 조금 넘어가던 때에 우리는 결혼을 결심했고 3년째가 되는 날에 맞춰서 결혼식을 올렸다. 나는 유준과 함께 꾸준히 초능력을 연습하려고 했지만, 그해 말에 우리는 아이를 가졌고,

나는 더 이상 수련에 집중할 수 없었다. 이듬해 아이를 출산하고 나서는 더더욱 연습할 시간이 없어졌지만 유준은 혼자서도 꾸준히 초능력을 단련했다. 가끔은 집안일 대신 초능력 연습을 하는 유준이 못마땅하기도 했지만, 돈이 안 드는 취미라고 생각하니 오히려 고맙기도 했다.

게다가 유준에게 무어라 잔소리하기에 그는 이미 너무 지쳐 있었다. 나와 결혼을 한 뒤에도 유준은 계속해서 경호원 일을 했고, 여전히 우리가 처음 만났을 때처럼 미숙했다. 나름 큰 기업에 다녔기 때문에 연차가 올라가면서 연봉은 조금씩 오르긴 했지만 실력이 나쁘니 진급은 할 수 없었다. 원래부터 경호원 일을 좋아하지 않았던데다 진급도 번번이 실패하니 스트레스가 쌓여가는 것이 역력히 보였다. 유준이 일하는 모습을 보진 못했지만 보나 마나 해야 할 일을 잊고 경호원답지 않게 행동할 것이 뻔했다. 한번은 유준에게 왜 맞지도 않는 경호원 일을 하고 있냐고 묻기도 했다.

"그거 말고 뭐 할 게 있어야지. 내가 할 줄 아는 거라고는 축복받은 탄탄한 몸 쓰는 거밖에 없는데, 경호 회사에서 돈을 제일 많이 주더라고. 버텨야지 뭐."

그리고 두 번째 결혼기념일을 맞기도 전에 그 일이 터졌다. 정부에서는 국민에게 공포감을 심어주지 않으려고 온 힘을 다했지만 군인들이 하루가 다르게 죽어 나가고 있다는 사실을 감출 수는 없었다. 모든 국민이 사태의 심각성을 짐작하고 있었고, 시간이 지날수록 정부에서 민간인들을 징집할지도 모른다는 불안감이 커졌다. 그리고 민간인 징집이 시작된다면 젊고 건장한 경호원들이 우선적으로 징집될 것은 뻔했다.

처음으로 우리나라를 떠나자는 말을 꺼낸 날, 내 눈을 똑바로 바라보며 진지하게 말하는 유준의 표정은 그 어느 때보다 딱딱하게 굳어있었다. 그토록 깊은 한숨도, 낮게 깔린 목소리도 처음 들어보는 종류의 것이었다.

"유준아, 회사 그만두면 안 돼? 얼른 도망가자. 여기 있으면 위험한 거 아니야?"

유준은 복잡한 표정으로 잠시 뜸을 들였다.

"민주야. 내가 징집되지 않으면 좋겠다는 건 알아. 근데 아무래도 나는 끌려가야 할 수밖에 없을 것 같아. 우리 국민한테는 아직 알려지지 않았지만, 우리나라만 이렇게 난리가 난 게 아니야. 다른 나라들도 다 같은 상황이고, 어차피 공항도 폐쇄돼서 나가지도 못해. 의회에서는 이미 징집안이 통과된 상황이고, 지금 나가봤자 우리 회사 소속인 한 다시 끌려오게 되겠지. 그건 너도 알 거야. 어떻게든 잘 피해 다니면 될지도 모른다고 생각하겠지만, 네가 모르는 게 하나 있어. 우리 회사는 이미 준군사조직으로 재편되어서, 퇴사가 금지됐어. 지금 떠나면 안전해질 수 없어. 오히려 우리나라, 우리 회사에 쫓기는 신세가 될 거야. 미안해, 민주야. 빨리 알아채고 도망갔어야 하는데…"

유준은 말끝을 흐리며 나를 세게 껴안았다. 우리 둘은 서로를 끌어안고 한참을 울었다. 서글픔이 내 마음에 구멍을 뚫고 완전히 스며들었을 때쯤 나는 얼굴을 유준의 가슴팍에 파묻은 채 말했다.

"유준아, 그럼 딱 하나만 약속해 줘. 꼭 돌아오겠다고. 살아 돌아와서 우리 윤하랑 서준이 안아주겠다고."

유준은 한동안 말이 없었다. 한참 뒤에 유준은 내 몸을 더욱 세게 끌어안으며 말했다.

"만약에 내가 죽으면… 만약에 내가 죽더라도… 행복하게 살아야 해. 나도 하나만 부탁할게. 항상 꽃병을 하나 간직해 줘. 내가 집에 돌아갈 때가 되면 그 꽃병에 라일락 꽃을 심어 놓을게. 만약에 전쟁이 끝나도 꽃병이 비어 있으면… 미안해. 날 잊고 행복하게 살아 줘."

나는 울음을 삼키며 잠긴 목소리로 대답했다.

"꼭 돌아와야 해. 꼭. 우리 나중에 다시 함께 살면, 라일락 꽃을 항상 심어 두자."

여러 가지 이야기

실험적인 장입니다.

이 장에는 세 개의 소설이 수록되어 있습니다. 하나는 제가 쓴 것이고, 또 하나는 다른 작가 님의 작품이며, 남은 하나는 인공지능(novelai.net)이 써낸 글을 다듬은 것입니다. 어떤 것이 저의 것일까요?

블랑카니비스

비가 추적추적 내리던 어느 날이었어요. 왕궁은 결혼식을 준비하느라 분주했지요. 오늘은 왕이 첫 왕비를 맞이하는 날이었거든요. 이번 왕의 결혼식은 평소보다 더 성대하게 준비되었어요. 어째서인지 왕은 정치적인 능력은 훌륭했지만, 대를 이을 자식을 낳는 데 전혀 관심이 없어서 신하들이 골라오는 신붓감들을 모두 거부해서 신하들이 왕실의 대가 끊길까 봐 걱정이 많았거든요. 어디 왕에 마음에 들만한 여자가 없나 눈에 불을 켜고 돌아다니던 중에 서쪽 바닷가에서 한 여자가 의식을 잃은 채 발견되었어요. 피부가 눈처럼 새하얀 것이 하늘에서 내려온 눈송이같이 아름다운 여자였어요. 신하들은 왕에게 애원했어요.

"전하, 이토록 새하얀 피부를 가진 여인은 제 한평생 본 적이 없사옵니다. 이는 분명 하늘에서 전하께 내려준 선물이옵니다. 아무리 결혼을 원하지 않으신다고 한들 하늘의 선물마저 거절하는 것은 옳지 않다고 생각합니다. 부디 저희의 청을 들어주시옵소서!"

신하들의 성의를 더 이상 무시할 수만은 없었던 왕은 결국 결혼을 승인했고, 신하들은 감사한 마음에 거대한 결혼식을 준비한 것이에요.

결혼식이 시작되고, 드디어 왕은 자신의 아내가 될 여자를 마주했어요. 하지만 왕은 그녀의 모습에 실망하고 말았어요. 신하들이 하도 칭찬하길래 왕도 내심 기대했는데, 신하들의 기대와 달리 그녀의 새하얀 피부는 왕의 마음에 들지 않았어요. 왕은 자신처럼 용맹한 곰을 닮은 검은 피부를 가진 사람들을 좋아했거든요. 그렇다고 이미 거행되고 있는 결혼식을 중단시킬 수도 없는 노릇이었지요. 마음이 여렸던 왕은 하얀 피부의 신부로 받아들이고 왕비로 삼았어요. 이듬해에 왕비는 첫 아이를 낳아 블랑카니비스라고 이름 붙였어요. 자신을 닮아 밝은 피부를 가진 여자아이였지요. 하지만 일 년 새 아내에게 질려버린 왕은 왜 남자아이를 낳지 못했냐며 왕비를 구박했어요. 결국 첫 번째 왕비는 오래 살지 못하고 금방 숨을 거두고 말았답니다.

하얀 피부의 왕비가 낳은 아이는 어머니 없이도 쑥쑥 자라서 귀여운 소녀가 되었어요. 소녀의 피부는 어머니와 아버지의 것이 섞여 밝은 밤색이었어요.

한 사람의 인생을 안타깝게 망쳐버린 뒤에야 신하들은 왕의 마음에 쏙 드는 여자를 찾아냈어요. 첫 번째 왕비와 정반대로 새까만 피부색을 가진 이웃 나라의 공주였지요. 왕은 그녀를 처음 본 순간 한눈에 반하고 말았어요. 그래서 그녀를 위해 완벽한 사람이 되고 싶었답니다. 하지만 왕이 생각하기에 완벽한 신랑이 되려면 아이가 있어서는 안 됐어요. 그래서 왕은 블랑카니비스를 없애 버리기로 결심했어요. 그렇다고 해서 자신의 손으로 딸을 죽인 왕으로 기억되고 싶지는 않았어요. 그래서 가장 가까운 신하에게 자신의 딸을 몰래 제거할 계략을 생각해내라고 명령했어요. 그는 이렇게 말했어요.

"블랑을 사냥에 데리고 갔다가, 수행원의 실수로 잃어버렸다고 하면 됩니다. 저 멀리 국경 지대의 밀림에서라면 아무도 의심하지 않을 거예요."

그래서 왕은 블랑카니비스를 데리고 수도에서 멀리 떨어진 밀림까지 사냥을 나갔고, 신하를 시켜 블랑카니비스를 의도적으로 밀림 속에 혼자 남겨둔 채 왕궁으로 돌아갔어요. 블랑카니비스는 영문도 모른 채 이끼 낀 바위에 앉아서 해가 뉘엿뉘엿 질 때까지 눈물을 훔쳤어요. 해가 완전히 떨어지기 직전, 한 남자가 블랑카니비스의 앞에 나타났어요. 덩치가 크지는 않지만 옷을 입지 않은 상체에 근육의 윤곽이 선명히 드러난 젊은 남자였어요.

"얘야, 너는 누구니? 왜 여기에 혼자 있는 거니? 아버지는?"

블랑카니비스는 눈물을 닦고 훌쩍이면서 말했어요.

"몰라요, 갑자기 다들 어디론가 사라져 버렸어요."

"데리러 올 사람이 없는 거니? 우선 우리 마을로 가자. 이곳의 밤은 위험하단다."

그렇게 블랑카니비스는 밀림 한가운데 작게 놓인 공터에 자리 잡은 마을에 도착했어요. 블랑카니비스는 여전히 왕실의 사냥복을 입고 있었지만, 왕국과 교류 없이 살아가는 이곳 주민들에게는 그저 거추장스럽고 불편한 옷으로 보일 뿐이었지요. 사람들은 밝은색의 피부에 이상한 옷을 걸친 블랑카니비스를 신기하게 여기고 어떻게 된 일인지 물었어요.

"우리 엄마가 하얀 피부를 가지고 있었거든요. 흰 피부의 왕비, 못 들어봤어요?"

"왕비라니, 그게 무슨 소리니?"

"네? 뭐가요? 우리 엄마요! "

하지만 블랑카니비스가 왕의 아이라는 사실은 아무도 믿

어주지 않았어요. 그저 어릴 때부터 들어온 이야기를 철석같이 믿고 있는 철없는 아이라고 생각할 뿐이었지요.

블랑카니비스는 새로운 환경에 빠르게 적응했어요. 마을의 다른 아이들과 다름없이 사랑받으면서 자라났지요. 밀림 한가운데 자리한 마을인 만큼 아이들에게 무술을 중요하게 가르쳤는데, 그 덕에 블랑카니비스는 강인한 여전사로 성장하였어요. 10년이라는 시간이 지나 성숙한 어른이 되었을 때부터 블랑카니비스는 왕국이 어떻게 돌아가는지에 관해 관심을 기울였어요. 원래 자신이 자라야 했던 왕실의 상황은 어떤지 궁금할 수밖에 없었겠지요.

한 편 블랑카니비스를 버려두고 온 왕은 곧 그토록 사랑하던 이웃 나라의 공주와 결혼했어요. 새 왕비는 아름다웠을 뿐만 아니라 바른 생각을 갖고 있는 참된 인물이었지만, 왕은 그녀를 너무 사랑한 나머지 그녀를 바라보기만 할 뿐 나랏일을 돌보는 데에는 소홀해지고 말았답니다.

블랑카니비스는 아버지가 변했다는 것을 누구보다 빠르게 알아챘어요. 그래서 이전의 훌륭했던 왕으로 돌아오기를 바라는 마음에 자신의 이름으로 편지를 써 왕궁에 보냈어요.

왕이시여, 어린 시절 잃어버린 폐하의 딸 블랑카니비스이

옵니다. (…) 근래 왕국의 모습이 예전 같지 않사옵니다. (…) 부디 청하오니 나랏일에 집중해주시기를 (…)

편지를 다 쓰고 나니 어릴 적 헤어진 아버지를 다시 만나고 싶다는 마음이 들었어요. 하지만 자신이 공주라는 사실을 믿어주지 않는 마을 사람들의 손에 키워진 탓에 이제는 스스로도 확신을 잃어버려 차마 왕실로 돌아가겠다는 말만은 하지 못했지요.

왕은 편지를 받고 크게 놀랐어요. 자신이 버린 딸이 아직까지도 멀쩡하게 살아있다는 사실은 충격적이었어요. 이 소식이 왕비의 귀에 들어가면 어떡하지, 하는 생각에 편지의 내용은 읽히지도 않았지요.

10년이 넘는 시간 동안 떨어져 살면서 부모 자식의 정을 잊어버린 왕은 이번에는 확실하게 블랑카니비스를 처리해야겠다고 생각했어요. 왕은 악명 높은 암살자를 불러서 명령했어요.

"우리 영토 북쪽 끝에 있는 밀림에 블랑카니비스가 살아있다. 어떤 방법으로든 공주를 죽이고 내게 그 증거를 가져오라."

암살자는 명령을 받들어 칼자루를 쥐고 밀림으로 들어갔

어요. 며칠 간의 고생 끝에 공터에 세워진 마을을 발견했고, 그곳에서 블랑카니비스의 모습을 보게 되죠. 하지만 마을 사람들이 농사를 지으며 살아가는 연약한 이들일 것이라는 그의 예상과 달리 다들 탄탄한 몸을 가진 전사들이었어요. 암살 대상인 블랑카니비스마저도 자신이 단신으로 붙어 이길 수 있을지 확신이 들지 않을 정도였지요. 그래서 암살자는 직접 침투하지 않고 한 가지 꾀를 내었어요. 그는 밀림에서 나와 가까운 시장에 들러 사과를 몇 개 사고는 가지고 있던 독약을 뿌려 잘 스며들게 했어요. 그리고 장사꾼에게 옷을 한 번만 빌려줄 수 있겠냐고 부탁하여 사과를 파는 상인으로 위장했지요. 사과 상인으로 변장한 암살자는 밀림 변두리에서 마을 사람에게 접근해서 마을로 안내해달라고 부탁했고, 그 사람은 별다른 의심 없이 암살자를 마을로 들였어요. 아주 오랜만에 찾아온 방문자에 신이 난 마을 사람들은 암살자가 가져온 사과를 모두 샀고 블랑카니비스에게도 나눠주었지요. 블랑카니비스가 사과를 건네받는 것을 본 암살자는 임무에 성공했다고 생각해서 왕궁으로 돌아갔어요. 그가 들고 온 사과를 동물들에게 먹이자 곧바로 숨이 끊기는 것을 본 왕도 만족하여 암살자에게 보수를 지급했어요.

하지만 블랑카니비스는 독이 든 사과를 먹지 않았어요. 그녀가 사과를 한입 베어 물기 직전, 누군가 그녀의 집 문을 세게 두들겼거든요. 이웃에 사는 사람이 막 뛰어왔는지 숨을 헐떡거리며 서 있었어요.

"블랑! 그거 먹으면 안 돼! 약초사가 그랬는데, 그거 독이래!"

사과를 받아들고 왠지 이상하다는 것을 느낀 약초사가 물 속에 사과를 넣어봤더니 물고기들이 죽어버렸다는 것이었어요. 덕분에 블랑카니비스를 비롯한 마을 사람들은 살아남을 수 있었지요. 스무 살이 되기도 전에 두 번이나 죽을 위기를 넘긴 블랑카니비스는 무언가 이상하다는 것을 느꼈어요. 그녀는 왕에게 다시 한번 편지를 보냈어요.

왕이시여, 블랑입니다. (…) 얼마 전, 한 상인이 제가 사는 마을에 독 사과를 팔았습니다. (…) 아버지, 저를 의도적으로 버린 건 아니실 거라고 믿어요. (…)

한편 왕은 이제 완전히 나랏일에서 손을 떼 버렸어요. 왕비는 왕이 다시 의욕을 찾게 하려고 온 힘을 다했지만, 그럴수록 왕은 왕비에게 더욱 빠져들기만 할 뿐이었지요. 그래서 왕비는 차라리 자신이 직접 국정을 돌보기로 했어요.

왕비는 왕에게 허락받고 그를 대신해서 관리들이 올리는 문서를 읽기 시작했지요. 그러다 블랑카니비스의 편지도 읽게 되었어요. 블랑카니비스라는 사람이 누구인지 알 리가 없었던 왕비는 신하를 시켜 문서를 뒤져보게 했고, 그녀가 스스로를 왕의 딸로 칭하는 것을 발견했어요. 여자아이를 낳은 적이 없었던 왕비는 혼란스러운 마음으로 왕에게 블랑카니비스가 누구인지 물었지요.

"아, 어, 그게 말이지… 그냥 미친놈이야. 내가 설마 자기한테 애를 숨겼겠어?"

왕은 변명했지만 왕비는 믿지 못하고 계속해서 추궁했고, 결국 왕은 실토하고 말았어요.

"미안해 여보… 첫 번째 아내가 낳은 애야… 내가 잘못했어. 나는 그냥… 자기한테 완벽해지고 싶었던 거뿐이야…"

왕비는 크게 실망했지만, 이내 왕을 용서하기로 했어요. 결국은 자신을 너무 사랑해서 벌인 일이었으니까요. 그래도 딸을 죽이려 든 것은 용납할 수 없었어요. 왕에게 벌을 줄 수는 없으니, 블랑카니비스를 불러들여 남편의 잘못을 대신 갚기로 결정했답니다. 그렇게 블랑카니비스는 왕궁으로 돌아오게 되었어요.

블랑카니비스가 왕궁의 부름을 받자, 그녀의 이야기를 믿지 못했던 마을 사람들은 크게 놀랐어요. 정작 당사자는 연거푸 괜찮다고 말했지만 그들은 정식으로 블랑카니비스에게 사과했어요. 그리고 미안함의 증거이자 이별의 선물로 오래 전부터 내려오던 전설의 물건인 진실의 거울을 주었지요.

"이걸 가져가게나. 모든 이에게는 악한 면이 있기 마련이야. 이 거울은 그 악한 면을 비춰주는 거울일세. 그뿐만이 아니야. 거울에게 어떻게 해야 참회하고 선해질 수 있을지 묻는다면 자네에게 조언을 한 가지 해줄걸세. 언젠가 도움이 될 거야. 그동안 고마웠네."

블랑카니비스는 마을 사람들에게 마지막 인사를 건네고 왕궁으로 걸음을 떼었어요. 그리고 가는 길에 거울을 꺼내 자신이 왕궁에 가서 백성들에게 도움이 될 수 있는 사람이 되려면 어떻게 해야 할지 물었지요. 거울은 뜬금없는 답변을 내놓았어요.

"나를 국왕에게 주어라."

블랑카니비스는 그 이유를 여러 번 물었지만, 거울은 같은 답을 반복할 뿐이었어요. 나중에 알게 된 사실이었지만 블랑카니비스에게는 나쁜 면이 거의 없어서 여러 가지 조언을 해주기가 어려웠던 거였어요.

얼마 뒤 블랑카니비스는 왕궁에 도착했어요. 왕비는 그녀를 위해 성대한 파티를 열어주었고, 그 자리에서 블랑카니비스는 아버지에게 거울을 선물했어요.

몇 년 뒤, 왕국은 역사상 가장 큰 번영을 맞게 되었어요. 거울의 도움으로 정신을 차린 왕이 훌륭한 정치를 펼친 덕분이었지요. 그리고 시간이 지나 왕비는 죽고, 왕도 병상에 누워 죽을 날만을 기다리는 신세가 되었을 때 왕은 두 번째 왕비와 낳은 아들들과 블랑카니비스를 불러 모았어요.

"나의 아이들아, 나는 이제 살날이 얼마 남지 않은 것이 느껴지는구나… 이 자리에서 나의 후계를 임명하도록 하겠다."

왕은 잠시 뜸을 들이고 말했다.

"블랑카니비스, 나의 공주여, 왕국을 잘 부탁한다. 나의 아들들아, 너희들이라면 나의 결정을 이해해 줄 거라 믿는다."

왕은 얼마 뒤 숨을 거두었고, 블랑카니비스는 왕위를 이어받았어요. 왕이 마지막까지 걱정했던 것과 달리 블랑카니비스의 완벽한 통치에 왕자들은 아버지의 결정을 수긍했지요. 그렇게 왕국은 오랫동안 평화로운 세월을 보냈답니다.

검은 숲, 푸른 숲

눈을 떴다. 눈앞은 온통 붉은 빛이다. 휴, 다시 시작이다. 내 몸속으로 파고든 아기가 작은 숨을 뱉는다. 아기가 편히 잘 수 있도록 기다려 줄 시간이 없다. 오늘은 가능할까? 퀴퀴한 냄새, 후끈한 바람. 떠다니는 먼지들… 숨쉬기가 불편하다. 할머니의 할머니의 할머니 때부터 살아온 작은 숲을 떠나온 지 얼마나 되었을까. 낯선 곳, 낯선 냄새. 이웃에 살던 다른 친구들의 냄새는 사라진 지 오래다. 아무리 찾아봐도 살아 있는 생명의 냄새는 찾을 수가 없다.

뜨거운 열기를 등지고 돌아서 걷기 시작했다. 아무리 서둘러도 쉽지 않을 것이라는 걸 직감적으로 알 수 있었다. 어제 뜨거운 불길을 피한 것은 어쩌면 마지막 행운이었을지도 모른다. 다행히 오늘 불길은 잦아든 것 같다. 어서 빨리 이곳을 벗어나 아직 불길이 닿지 않은 나무를 찾아야 한다. 몸 안에서 느껴지는 작은 숨이 온 힘을 다하고 있다. 오늘은 꼭 유칼립투스를 찾아야 한다. 어제도 온종일 굶었다. 아기에게 먹일 똥이 없다. 내가 먹어야 아기가 산다.

한 걸음, 한 걸음이 무겁다. 그래도 가야지. 멀리 눈길이 닿는 곳이 밝아 온다. 어둠이 물러나니 서서히 주변의 모습이 또렷해진다. 발끝이 닿을 때마다 부스러지는 소리가 들린다. 한참을 걸은 것 같은데… 희망은 없는 것일까. 잠시 멈추어 하늘을 올려다보았다. 등 뒤에서 웃음소리가 들려온다. 원숭이일까? 사람일까? 아니, 소리가 시작된 곳은 이미 불타버린 곳이다. 원숭이나 사람일 리가 없는데… 잠시 혼란스러운 사이 소리는 가까워졌다. 아! 쿠카부라 가족이다. 쿠카부라 무리가 낮게 날아 다가온다. 그들이 내릴만한 숲이 가까운 곳에 있나 보다. 희망은 있을 것이다. 그래 가자! 아기는 살아야 한다.

“아, 힘들다”

쿠카가 나무에 내려앉으며 턱까지 찬 숨을 내쉬었다.

“응, 날아오면서 봤는데 이미 서쪽 숲은 다 타버린 것 같아. 움직이는 동물들도 못 봤고…. 그래도 여기는 아직 괜찮나 봐.”

뒤따라오던 카부는 쿠카가 앉은 나무 바로 옆 좀 더 긴 가지에 내려앉으며 말했다. 쿠카와 카부 보다 좀 더 작은 쿠카부라 두 마리가 카부 옆에 뒤따라 내렸다.

“불길이 여기까지 오지는 않은 것 같아. 여긴 아직 곤충들도 있을 것 같고. 너무 배고프다. 아이들도 지쳤겠어. 먹이 좀 찾아올게.”

쿠카는 말을 마치자마자 짧게 날아 다른 나뭇가지로 옮겨 앉아 숲 바닥을 눈으로 훑었다. 카부는 쿠카의 움직임을 따라가다 눈길을 거두어 왼쪽 날개에 기대어 앉은 모아를 안쓰러운 눈길로 바라보았다. 카부는 아무도 알아채지 못하게 짧은 한숨을 내쉬고는, 고개를 들어 모모를 보며 말했다.

"모모야, 아빠 좀 따라가서 먹이를 구해 보거라, 동생은 지쳐서 좀 쉬어야 할 것 같구나."

"내 엄마, 잠깐 쉬고 계세요. 아버지와 함께 먹이를 구해 볼게요."

모모는 서둘러 날아올랐다. 부리와 발톱은 단단했고, 꽁지깃은 그 어떤 쿠카부라의 것보다 길었다. 꽁지 끝 파란 깃털이 모모의 비행을 화려하게 만들었다. 이미 몇 개월 동안 계속된 산불만 아니었다면 독립해서 가족을 꾸렸을 텐데, 이젠 그 시기를 알 수가 없다. 그런데 모모의 몸은 날갯짓을 할 때마다 조금씩 흔들렸다. 날개를 쭉 펼 때 그 흔들림은 조금 더 커졌다. 카부는 흠칫 놀라 눈으로 계속 모모를 쫓았다. 한참 뒤 카부는 그 이유를 알게 되었다. 모모의 오른쪽 날개깃이 왼쪽 날개깃보다 조금 짧았던 것이다. 그 끝이 불에 그을려 있었다. 어제 서쪽 숲에 불길이 커졌을 때 모아를 앞세우고 뒤에서 날던 모모에게 불길이 닿았나 보다. 쿠카와 카부 부부는 치솟는 불길을 헤치며 앞서서 길을 잡아야 했기에 그 상황을 알지 못했다. 카부는 모모의 뒷모습을 안타깝게 바라보았다. 촉촉이 젖은 눈이 스르르 감겼다. 모아도 엄마한테 기대어 잠들어 있었다.

"엄마, 엄마!"

사냥을 나갔던 모모가 엄마를 흔들었다.

"으응…?"

카부는 무거운 눈꺼풀을 겨우 올려 소리가 나는 곳을 바라보았다.

"엄마, 이거 일단 드세요. 모아도 주시고요. 아버지는 먹이가 안 보인다며 좀 더 먼 곳으로 가보겠다고 가셨어요. 그리 멀리는 가지 않을 테니 걱정하지 말라고 하셨고요."

"모모야 너는 먹었니?"

"네, 걱정하지 마세요. 제가 먼저 먹고, 엄마랑 모아 꺼 물고 왔어요."

카부가 몸을 움직였다. 카부에게 기대고 있던 모아의 몸이 휘청거렸다. 모아가 눈을 떴다.

"엄마~"

모아가 엄마를 불렀다.

"응, 모아야. 형이 먹이를 가져다줬어. 어서 먹어. 먹고 힘내야지."

카부는 모모가 물어다 준 먹이를 모두 모아에게 주었다. 모모는 그 모습을 보고 다시 날아올랐다. 이미 기절한 도마

뱀을 허겁지겁 삼킨 모아는 이제야 잠에서 깬 듯 눈에 힘이 돌아왔다. 그러고는 숲 바닥을 유심히 바라보았다. 모아가 앉아있는 나무가 서 있는 숲 바닥은 아직 초록색이었다. 풀들은 바람에 흔들렸고, 풀 뒤에 숨어있는 듯 작은 움직임이 조금씩 보이는 것 같았다. 그러나 모아가 서 있는 나무에서 그리 멀지 않은 서쪽 숲은 어둠이 점령하여 온 세상의 빛이 사라진 듯 온통 검은색뿐이었다. 모아는 그 검은 숲에서 마치 사냥이라도 할 것처럼 눈을 떼지 않고 바닥 구석구석을 훑었다.

모아가 먹이를 먹는 모습을 본 카부는 쿠카와 모모가 날아간 동쪽 하늘을 바라보고 있었다. 동쪽 하늘과 동쪽 숲은 이상하리만치 평화로워 보였다.

'요 며칠, 우리 가족이 겪은 일은 꿈이었던가… 아, 꿈이었으면.'

흰 구름이 선명하게 떠 있는 하늘과 바람의 흐름에 따라 햇빛에 반짝이는 나뭇잎의 흔들림까지. 카부가 어릴 때부터 오래도록 살아왔던 바로 그 숲이었다. 어릴 적 엄마, 아빠와 놀던 숲과 바람의 냄새가 떠올랐다. 그러나 그 순간 서쪽에서 불어온 한 줌의 바람은 동쪽 숲도 카부가 오래도록 살아온 숲이 아니라는 것을 깨닫게 해주었다. 바람을 타고 오는 냄새는 뜨거운 불의 냄새였고, 나무들의 고통이 남긴 재의 냄새였다.

"엄마, 엄마 저기 봐요."

모아가 소리쳤다. 동쪽 하늘에서 시선을 거둔 카부가 고개를 돌렸다.

"응? 왜 모아야."

"엄마, 저기 뭐가 움직여요. 서쪽 숲이요. 바닥에 뭐가 있어요."

"아냐 모아야, 서쪽 숲은 이미 다 타버렸단다. 어제 떠나온 그곳은 이제 아무도 살지 못할 거야. 그래서 우리는 동쪽 숲으로 온 거고, 아빠와 형이 돌아오면 다시 기운을 내서 더 먼 동쪽 숲으로 가야 해. 서쪽 숲의 불길이 되살아나 다시 여기까지 올 거야. 바람이 그렇게 불고 있어."

"아니에요. 엄마 서쪽 숲, 서쪽 숲이요. 저기예요! 저기!! 안 보이세요?"

모아는 갑자기 다이빙하듯 나무 아래로 곤두박질쳤다. 말릴 새도 없었던 카부가 반사적으로 모아를 따라 날아내렸다.

"모아야, 모아야. 안돼. 위험해"

"모아야, 아무도 없어. 불길이 다시 일면 그 숲에서 빠져나오지 못해. 모아야!"

모아는 카부의 절망스러운 목소리가 들리지 않는 듯했다.

"안녕? 나 모아야. 너 괜찮니?"

까만 숲 바닥을 걷던 코알라가 고개를 들어 올렸다. 놀랐는지 동그란 눈이 더 동그래졌고, 배를 움켜잡은 발에 힘이 들어갔다. 그리곤 한 걸음 물러나다 엉덩방아를 찧었다.

"어, 미안해, 놀라게 할 생각은 아니었어. 우리도 밤새 서쪽에서 날아왔어. 엄마, 아빠, 형이랑. 너도 서쪽에서 왔니?"

모아는 겁먹은 코알라를 안심시키기 위해 뒤로 물러나며 말했다.

"형이 나를 지키느라 날개를 다쳤어. 형이 아니었으면 나도 숲 바닥으로 떨어졌을 거야. 정말 무서웠어."

모아는 어제 일이 눈앞에 있는 듯 몸을 부르르 떨었다.

"어제 낮부터 불길이 정말 거셌는데 어떻게 살아나왔어? 너 정말 괜찮아?"

모아가 찬찬히 코알라를 바라보았다. 큰 귀에 긴 털들은 이미 그을려 짧아졌고, 등 뒤의 털은 군데군데 타버려 살갗이 드러나 있었다. 모아는 어쩔 줄 몰라 발을 동동거리며 코알라에게서 눈을 떼지 못했다.

"모아야, 괜찮니? 너 혼자 다니면 정말 안 돼!"

급하게 내려앉은 카누의 목소리가 떨렸다. 카누의 눈은 코알라에게서 떨어지지 않았고, 모아 앞을 가로막아 섰다.

그런데 코알라는 움직이지 않았다. 배를 움켜잡고 있는 걸 보니 주머니 안에 아기가 있는 것 같았다.

"아기가 있어. 나 유칼립투스 나무를 찾아야 해. 아기가 어제부터 아무것도 못 먹었어." 코알라의 입에서 마치 허공에 대고 말하는 듯 목적지 없는 소리가 흘러나왔다.

"엄마, 코알라가 아픈가 봐요. 코알라가 힘든가 봐요. 코알라 아기가 주머니에 있나 봐요. 어떻게요. 어떡해요."

모아는 엄마 뒤에서 나와 코알라에게 몸을 부벼댔다. 코알라는 움직일 힘도 없는 듯 모아의 몸짓을 그대로 받아냈다. 따뜻한 온기가 싫지 않았다. 쿠카부라 가족이 도와준다면 유칼립투스 잎을 먹을 수 있을지도 모른다는 기대가 생겼다. 그런데… 이제 한 걸음도 움직일 수 없었다. 그 모습을 본 카부도 경계를 풀었다.

"저기, 나뭇잎이 필요한가요?

카부의 물음에 코알라가 고개를 끄덕였다.

"모아야, 너 아줌마 옆에서 지키고 있어. 엄마가 아줌마 나뭇잎을 좀 구해다 줘야겠다. 그리고 다 타버린 숲이라 그런 일은 없겠지만 혹시 다른 동물들이 아줌마를 위협하면 넌 날아올라서 소리쳐. 그럼 엄마가 들을 수 있을 거야. 할 수 있지?"

"응, 엄마. 빨리 와야 해."

카부는 자기 몸도 지쳐 힘들었지만 코알라를 외면할 수 없었다. 함께 살 던 이웃. 그냥 당연했던 숲의 삶이었을 때는 신경 쓸 필요도 없는 일이었지만. 하, 이 광활한 숲에 남은 생명은 이제 없었다. 함께 살아야 내야 했다. 그렇게 카부는 날아갔다.

"나는 코코야. 내 아기는 코아고."

코코의 말이 끝나자 코아가 엄마 주머니에서 얼굴을 내밀었다. 아기는 모아를 바라보았지만 기운이 없어 보였다. 잠깐 내밀었던 얼굴이 다시 주머니 안으로 들어갔다.

"우아. 아줌마 정말 대단해요. 아기까지 지켜서 너무 다행이에요. 많이 힘들었죠? 엄마가 오면 곧 나아질거에요. 조금만 기다려봐요."

모아는 엄마가 올 때까지 오래도록 코코를 지키고 있었다. 해질녘이 되자 모아는 무서워졌다. 사냥을 갔던 아빠도, 형도, 엄마도 왜 안 오는지 걱정이 되었다. 코코에게 몸을 기대어 무서움을 달래던 차에 아빠의 날갯짓 소리가 들렸다. 고개를 들어 하늘을 보니 아빠가 나무 주위를 빙빙 돌고 있었다. 모아는 기운을 내 소리쳐 아빠를 불렀다. 아빠가 곧 모아에게 내려왔고, 형도 따라왔다. 작은 뱀을 입에 물고 있던 아빠는 이미 죽은 뱀을 땅바닥에 내려놓으며 말했다.

"모아야 숲 바닥은 위험하단다. 나무 위에 있어야지 왜 여기 있니? 엄마는?"

"엄마는 나뭇잎을 구하러 갔어요. 코알라 아줌마가 아파요."

그제야 쿠카의 눈에 코알라가 들어왔다. 다 타버린 숲의 재 위에 앉아있는 코알라는 지쳐 보였다. 그때 카부가 왔다. 서둘러 코코에게 잎에 물고 있던 나뭇잎을 내려주었다. 그을음이 가득한 유칼립투스 나뭇잎. 유칼립투스는 불이 잘 붙어 온전히 남아 있는 나무가 거의 없었다. 가능한 입안 가득 물고 오느라 늦었나 보다. 코코가 나뭇잎을 먹는 모습을 본 후 카부는 쿠카와 모모에게 상황을 설명해주었다. 잠자코 듣고 있던 모모가

"엄마 우리도 우선 이걸 먹어요. 우리도 기운 차려야 다시 동쪽으로 날아갈 수 있어요. 아무래도 서쪽 숲에서 다시 불길이 일어날 것 같아요." 모모가 잡아 온 먹이를 내려놓으며 말했다. 쿠카부라 가족은 다같이 먹이를 나눠 먹었다. 쿠카가 잡아 온 뱀과 모모가 잡아 온 작은 새는 이미 불에 그을려 반쯤 타버린 상태였다. 동쪽 숲의 동물들도 산불의 위험을 알았는지 다 사라져 버려 더 이상 먹이를 구할 수 없었다. 넷이 나눠 먹기엔 적은 양이었지만 그래도 허기는 달랠 수 있었다. 식사를 끝낸 쿠카부라 가족은 유칼립투스 잎을 먹고 있는 코코 주위에 섰다.

“여보, 아무래도 한 번 더 가져다줘야 할 것 같아요. 동쪽에 아직 유칼립투스 나무가 있어요. 혼자 가져올 수 있는 만큼 최대한 많이 가져왔는데, 코알라가 기운 차리기에는 너무 적은 양일 거 같아요.”

카부가 쿠카에게 말했다.

“그래요. 오늘은 나뭇잎을 구해다 줍시다. 하지만 내일 동이 트기 전에 떠나야 해요. 먹이를 구하며 돌아보니 서쪽 숲에서 다시 불씨가 일어날 거 같아요. 바람이 잠잠해지지 않는 데다가 비는 올 것 같지 않고, 사람들은 이 숲까지 불을 끄러 오지는 못할 거요.”

“네, 여보도 지쳤으니 가까운 곳에서 나뭇잎을 구해다 주고 좀 쉬자고요. 당신도 좀 쉬고 기운을 차려야 다시 떠날 수 있을 거에요”

쿠카부라 가족은 모두 나서서 유칼립투스 잎을 구해다 코코 옆에 놓아두었다.

“감사합니다. 감사합니다. 오늘도 먹지 못하면 더 이상 못 움직일 것 같았어요.”

코코는 연신 감사 인사를 하며 힘을 내서 유칼립투스 잎을 씹었다. 잎은 물기 하나 없이 말랐고, 평소에 비해 턱없이 부족한 양이었지만 이것저것 가릴 상황이 아니었다. 자신도 서둘러 떠나야 한다는 것을 코코는 알고 있었다.

쿠카부라 가족은 나무 위에서 잠이 들었고, 코코는 그사이 유칼립투스 잎을 다 먹었다. 낮 동안 잘 수 없었던 코코는 잎을 다 먹기도 전에 꾸벅꾸벅 졸았다. 정적. 늘 생명이 꿈틀대던 숲. 캥거루의 뜀박질 소리, 웜벳이 버스럭거리는 소리. 온갖 새들이 치장하며 떠드는 소리, 코알라 가족이 잎을 씹어대는 소리… 늘 온갖 소리가 떠다니던 그 숲에서는 그 어떤 소리도 들려오지 않았다. 어둠… 바사삭 나뭇잎이 흔들리는 소리에, 모두가 갑자기 눈을 떴다. 바람. 잿가루를 날리던 서쪽 바람에 뜨거운 열기가 함께 실려 왔다. 하. 다시 시작이다. 쿠카부라 가족은 다시 날아올랐다 하지만 곧 모아가 코코에게 돌아왔다.

"아줌마, 아줌마. 빨리 가셔야 해요. 불이 다시 시작되는 것 같아요. 아기가 위험해요. 서둘러요."

코코는 엉덩이를 들어 움직이려 했지만 이내 다시 주저앉았다.

"아니다 모아야, 미안하다 모아야. 난 못 가겠구나."

"왜요. 아줌마 서두르셔야지요."

모아를 따라 카부와 모모가 따라 내려왔고 쿠카는 하늘 높이 날고 있었다.

"코코씨, 서두릅시다. 저희가 떠나면 곧 불이 닥칠 거에요.

동남쪽으로 조금만 걸으면 사람들의 길이 나와요. 사람들도 산불 때문에 도망치는 동물들을 도우러 나온 것 같아요. 조금만 가면 됩니다. 저희가 하늘에서 길을 알려줄 테니, 금방 갈 수 있을 거에요."

카부의 얘기를 듣던 코코가 천천히 입을 열었다.

"아기가… 아기가 죽었어요."

코코는 아기를 주머니 속에서 꺼내 안았다. 어제까지만 해도 살아있었던 아기는 이제 움직임이 없었다.

"아직, 잎을 못 먹는 아기여서, 제가 젖을 줘야 하는데.. 제 똥을 먹여야 잎을 수 있는… 며칠 제가 먹지도 쉬지도 못해 아기에게 아무것도 못 줬어요…."

코코는 축 쳐진 그대로 아기를 안고 눈물을 흘렸다.

모아와 모모도 함께 슬퍼하며 코코 주위를 돌았다. 아무 말도 할 수 없었다. 카부는 코코가 움직이기 힘든 상황이라는 것을 알아차렸다. 원래 움직임이 느린 코알라인데, 기운을 못 차리고 있는 데다가 아기까지 죽었으니 닥쳐오는 불길을 피할 수 없을 것이었다. 카부는 날아올라 쿠카에게 갔다.

"여보, 코코 아줌마가 못 움직일 것 같아요. 아기를 잃었어요. 사람들의 길에 사람들이 나와 있나요? " 카부가 쿠카에게 물었다.

“어, 여보. 사람들이 보여요. 이미 동물 여럿을 구했군요. 물을 주고 있어요. 사람들을 이리로 불러 봅시다. 코코가 움직이는 것보다 사람들이 움직이는 것이 빠를 거요.”

카부와 쿠카는 서둘러 사람들에게 갔다. 코알라 여럿과 캥거루, 에뮤와 코카까지. 그을리고 다친 동물들이 우리 안에 있었다. 낯선 우리였다. 냄새도 낯설었다. 그 안의 동물들은 모두들 지쳐 쓰러진 모습이었다. 주변에 있는 사람들의 얼굴도 잔뜩 그을려 있다. 이들은 더 이상 숲의 동물들에게 해를 끼치지는 않을 것이다. 불이 거세게 일어나는 상황에서도 한 마리라도 더 동물들을 구하려 했던 사람들을 이미 많이 봤다. 당분간 사람들도 동물들을 헤치지는 않을 것이다. 사람들의 위협보다 걷잡을 수 없는 화마를 피하는 것이 더 급했다.

“어, 쿠카부라 들이 왜 이러지. 평소에 이런 적이 없는데.”

“이리들 와봐요. 이 새들이 왜 이러는지, 누구 아는 사람 없소?”

사람들 서너 명이 우왕좌왕 어쩔 줄 몰라 했다. 그도 그럴 것이 쿠카부라 두세 마리가 사람의 손이 닿을 만한 낮은 곳까지 내려와 계속 울어 대며 숲과 도로 사이를 오가고 있었기 때문이다. 원래 사람들을 좋아하는 녀석들이지만 이렇게도 시끄러울 때는 무슨 이유가 있을 것 같았다. 쿠카부라가 왔다 갔다 하는 숲을 보니 쿠카부라 수컷 한 마리가 빙빙 숲 위에 하늘 위를 빙빙 돌고 있었다. 이미 타버린 서쪽 숲과 아직 불길이 닿지 않은 동쪽 숲의 경계였다.

"새들이 우리를 오라고 하는 것 같아요. 저기 수컷 쿠카부라가 있는 곳에 뭐가 있나 봐요. 서둘러 가봅시다."

재가 가득 내려앉은 노란 옷을 입고, 단단한 방화용 모자를 쓴 한 사람이 장갑을 고쳐 끼고는 곧 움직였다.

"그래, 서둘러보자고. 아직 여기까지는 괜찮을 거야. 서둘러. 불길이 다시 시작되기 전에!"

같은 옷을 입은 두세 명의 사람들이 뒤따랐다. 하늘 위에 쿠카부라 세 마리가 함께 숲을 향해 움직였다.

"여기에요. 여기! 코알라가 있어요!"

코코는 움직이지 않았다.

"어머 불쌍해라 이미 불에 많이 그을렸어요. 오래 먹이도 못 먹었나 봐요. 어서 데려갑시다."

"아, 아기가 죽었어요." 사람들의 손이 움찔했다.

곱게 안겨 있는 아기와 코코를 조심스레 안아주었다. 천천히, 그런데 서둘러 사람들의 길로 내려갔다. 그리고 그들은 코코에게 물을 주었다. 평소에 사람들에게 물을 받아먹지 않는 코알라였다. 하지만 코코는 지쳤다. 더 이상 버틸 수 없었다. 코코가 물을 마시는 모습을 보고 쿠카부라 가족은 동쪽으로 떠났다. 사람들은 코코를 안아 아기를 떼어냈다. 그리고 아기를 안은 사람이 동료와 함께 숲으로 갔다. 코코는 그 모습을 지켜볼 수 밖에 없었다. 코코는 우리 안으로 들어갔다. 숲 언저리에서 코코에게 등을 보인 사람들은 땅을 파고 있었다.

'잘 가 아가.' 코코는 등을 돌렸다. 그런데, 코코의 눈앞엔 코아 만큼 작은 아기 코알라가 웅크리고 있었다. 겁에 질린 듯, 기운이 없는 듯 했지만 코코의 손길에 아기는 몸을 기대었다. 코코는 아기 코알라를 꼭 안았고, 아기 코알라도 코코에게 안겼다. 그렇게 둘은 잠이 들었다.

마법의 노래

어느새 3월이었다.

흙은 녹은 눈에 젖어 축축해졌지만 온도는 날마다 급격하게 바뀌었다. 가끔은 밝고 화창했지만, 어떤 날에는 여전히 겨울의 차가운 바람이 몰아치는 날도 있었다.

나의 삶도 변하지 않았다. 마법이라는 새로운 힘을 익혀서 자유롭게 사용할 수 있었지만, 나의 생활에서는 별다른 변화가 없었다. 학교가 다시 개학을 했기 때문에 다른 학생들은 활기찬 일상을 되찾았을지 모르지만, 나는 여전히 생기 없이 지내는 중이었다. 내가 할 일은 학교 기숙사에 머무는 것뿐이었다. 친구가 없으니 어디로 나갈 곳도 없었다. 3월은 변화의 달이지만, 나에게는 변함없이 무의미한 삶이었다.

"내 삶은 항상 똑같은 거 같아…" 나는 밤하늘을 바라보며 창문을 향해 속삭였다.

나는 친구 없이 오랜 시간을 보내왔고, 이제 학교에 다닐 수 있게 되었지만 아직도 친구를 사귀지 못했다. 한때는 그것이 참을 수 없을만큼 힘들었지만 이제는 거의 포기했다. 식물과 노는 것도 그렇게 나쁘지는 않았다. 나는 파릇파릇하게 돋아나고 있는 새싹을 향해 마법을 부렸다.

"자라라." 나는 명령했다.

새싹이 순식간에 조금 더 길어졌고 잎도 조금 더 넓어졌다. 화분에 심어지지 않은 식물에게는 시도해본 적이 없었지만 분명히 제대로 작동할 것이었다. 가장 손에 익은 주문이었다. 하지만 그것도 잠시, 곧 식물을 자라게 하는 데 흥미를 잃었다. 그대로 침대에 드러누우니 눈물이 나올 것 같았다. 우울해지지 않으려면 뭐라도 해야겠다고 생각했다. 나는 몸을 일으켜서 문 쪽으로 걸어갔다. 그 순간, 누군가 문을 노크했다.

"누구세요?"

"나야."

여자의 목소리가 내게 대답했다.

나는 문을 열었다. 거기에는 평소처럼 무표정한 얼굴로 나를 쳐다보며 한 여자가 서 있었다. 그녀는 나의 오랜 친구 사라였다.

"같이 놀러 갈래?"

그녀가 나를 불러내서 함께 어디론가 가자고 하는 것은 이례적이었다. 보통은 내가 사라를 불러내곤 했다. 나에게 무언가 할 말이 있는 것이 분명했다.

"맨날 가던 데로 가자."

"공원?"

사라는 머리를 끄덕였다. 우리는 함께공원으로 가서 벤치에 앉았다. 사라는 깊게 한숨을 내쉬었다. 그녀는 상당히 피곤해 보였다.

"학교 많이 바빠? 공부하고 수업하느라 딴 거 할 시간이 없지?"

내 질문에 사라는 머리를 저으면서도 긍정한다.

"응, 그치. 하지만 견딜만 해."

그렇다면 사라의 문제가 무엇일지 궁금해졌다.

"음, 견딜 수는 있지만, 사실… 꽤 짜증 나. 주변에서 너무 많은 일이 일어나고 있고, 좀 쉴 곳이 필요하긴 한 것 같아. 그래서 왔어. 좀 쉬려고."

사라는 맥없는 웃음을 뱉으며 말을 맺었다.

그녀가 내 앞에서 약해지는 것은 처음이었다. 나는 꽤 놀랐지만 내 감정을 드러내지는 않은 채 사라를 행복하게 만들 수 있을지 생각하기 시작했다. 이럴 때 쓸만한 마법이 뭐가 있지? 사라는 내가 고민하고 있다는 걸 눈치챘는지 말을 꺼냈다.

"아무 얘기나 하자. 재밌는 이야기 듣고 싶어."

"재밌는 이야기?"

"응. 재미있고 좋은 얘기. 아무거나."

재미있는 얘기? 그런 건 전혀 몰랐다. 나도 그녀처럼 지친 학생일 뿐이었다. 하지만 내 솔직한 생각을 그녀에게 말할 수는 없었다.

하지만 아무리 열심히 머리를 굴려도 할만한 이야기가 생각나지 않았다. 마법의 힘을 빌려야겠다고 생각했다. 그게 어떤 마법이든. 내가 알고 있는 주문을 모두 살펴봤지만, 대부분은 사람들을 행복하게 만들기에 적합하지 않았다. 겨우 하나를 기억해냈으나 그 주문을 시전하기에 필요한 재료가 없었다. 기타나 피아노 같은 악기가 필요했다.

우선 눈을 이리저리 굴려서 악기를 찾는 동시에 자주 듣던 노래 한 곡을 떠올렸다. 나는 그 노래를 부르기 시작했다.

"말 없는 말이 많아…"

"뭐해?" 그녀는 내 행동을 전혀 예상하지 못했는지 정말 혼란스러워 보였다. 나는 서둘러서 악기를 찾았다. 다행히 근처에는 식물들이 많았고, 나는 잎으로 풀피리를 만드는 방법을 알고 있었다. 나는 계속 노래를 부르면서 풀피리를 만들었다.

"미소, 소리, 눈길, 손길, 웃음. 당신과 함께 있을 때, 나는 괜찮아요. 나는 괜찮아요…"

"너 노래 잘 부른다."

꽤 놀라웠다. 이런 말은 전에 들어본 적이 없었다. 내 노래를 칭찬한 사람은 단 한 명도 없었다. 애써 놀란 표정을 감추고 태연한 척 계속 노래를 불렀다.

"내가 만든 노래야. 너한테 선물할게."

나는 플루트를 입에 댔다. 처음으로 누군가를 위해 노래를 부르는 것이어서 긴장되었다. 그녀를 웃게 하고 싶었다.

"말 없는 말이 많다고…"

사실, 지금까지 한 번도 누군가의 앞에서 노래를 부를 생각을 한 적은 전혀 없었다. 다행히 마법은 제대로 작동하기 시작한 것 같았다. 사라는 더 행복해 보였다.

"어때? 좀 나은가?"

"응, 노래 정말 좋다. 목소리도 잘 어울리고."

"그건 그냥 내 목소리를 좋아하는 거 같은데. 내 노래 실력은 그다지 좋지 않아."

"아니야. 내가 들어본 최고의 노래인 걸."

그녀는 대답을 마치고 순간적으로 얼굴을 찌푸리며 멈칫했다.

"잠깐, 지금 마법 쓰고 있는 거야? 이러기야?"

"음, 어. 너한테 마법을 사용하고 싶지는 않았지만. 하지만 너무 힘들어하는 것 같아서 써야 할 것 같았어. 그래서 내가 좋아하는 노래에 얹어 쓰기로 했지."

"좋은 주문이네. 그런데 그만 쓰면 안 돼? 혼자 회복하는 게 나을 것 같네. 마법의 영향을 받는 건 별로 기분이 안 좋아서 말이지."

"알았어, 그만 쓸게. 그런데 하나 물어볼 게 있어."

나는 장난스러운 표정으로 말했다.

"처음엔 마법 안 썼는데, 진짜 내 노래 마음에 들었어?"

"물론이지! “

사라는 잠시 뜸을 들였다.

”마음에 안 들었다고 하면 또 마법 쓸 거지?“

"응, 맞아."

우리는 함께 웃었다. 마지막으로 즐겁게 이야기를 나눈 지가 꽤 오래된 것 같았다.

작가의 말

작가의 말 쓰기는 꽤나 어려운 일이더군요.

많은 소설책의 맨 뒤 페이지를 열어 작가의 말을 읽어보았습니다. 작가가 자신의 작품에 대한 소개와 함께 집필 의도를 서술한 경우가 많이 보였습니다. 하지만 저는 굳이 제가 왜 이렇게 썼는지, 이 작품에 담긴 의미가 무엇인지 설명하고 싶지는 않았습니다. 작품에 담긴 의미를 해석하는 건 읽어주신 독자분들의 몫이지, 제 생각이 그리 중요하다고는 생각하지 않습니다. 각자 나름의 해석이 있기 마련이니까요.

개인적으로 어떤 소설에 대한 남의 해석을 보는 것을 좋아하지 않습니다. 제 머릿속 이미지가 다른 색으로 물들어버려서 원래의 것을 알아보기가 힘들어지거든요. 그래서 정말로 재미있게 읽은 책은 나중에 그것을 원작으로 한 2차 창작물이 나오더라도 보지 않으려고 합니다. 『듄』이 그런 작품 중 하나입니다. 정말 재미있게 읽은 책인데, 다 읽고서 얼마 되지 않아 영화로 나왔더군요. 너무 보고 싶었지만, 일단은 미뤄두려고 합니다. 머릿속에 있는 저만의 『듄』에 대한 이미지를 어떤 형태(글이든, 그림이든)로든 꺼내서 잊어버리지 않게 되기 전까지요. 그게 언제가 될지는 모르겠습니다.

이 자리에서는 마지막 장을 제외한 7개의 단편들에 대해서 그 글을 쓴 배경을 간략하게 언급하고, 이 책이 나오기까지 도움이 주신 분들에게 감사를 전하고 싶습니다.

『구름 나라 구하기』는 이 책에 수록된 작품 중 두 번째 순서로 쓴 작품입니다. 저는 정령이라는 존재를 꽤나 좋아합니다. 물의 정령, 물의 힘을 빌려다 쓰는 자그마한 존재라니, 너무 귀엽지 않나요? 한편으로는 대자연의 숭고함이 느껴지는 존재이기도 합니다. 그래서 저는 정령이 존재하는 세계를 그리고 싶었습니다. 한번 쓰고 버리기에는 아까운 세계라, 나중에 같은 세계관에서 전개되는 작품을 쓰게 될 것 같기도 합니다.

『모닥불 죽이기』는 컴퓨터 바탕화면에 그려져 있던 벽난로를 보고 영감을 받아 쓴 작품입니다. 할아버지 댁에 벽난로가 하나 있는데, 명절에 놀러 가면 고구마를 구워 먹곤 했습니다. 그런데 문득 그런 생각이 들더군요. 저 안에서 이리저리 움직이는 불길은 혹여 힘들지는 않을까? 그래서 쓰게 된 작품입니다. (당연하지만 제목은 하퍼 리의 고전 『앵무새 죽이기』에서 따온 것입니다!)

『아이스크림』. 머리말에서 언급했듯이 가장 처음으로 썼던 작품입니다. 사실 너무 오래전의 것이라 어쩌다 이 아이디어를 생각해냈는지는 잘 기억이 나질 않네요. 아마 외계인이 등장하지만 소박한 작품을 쓰고 싶었던 것 같습니다. 그나저나 여러분은 작품 속 외계인이 어떤 모습일 것이라고 생각하셨나요? 의도적으로 외형 묘사를 최소화했습니다. 다른 사람들은 이 외계인에 대해 어떻게 생각할지가 궁금해서요.

『아이는 꿈꾸고 그대는 영원히 춤추네』의 제목이 익숙하신 분들도 계시리라 생각합니다. 유다빈 밴드의 노래 <곁에(NEXT to)>의 가사 일부분이거든요. 이 노래에서 제가 가장 좋아하는 부분이기도 합니다. 소설을 쓸 때 유다빈 밴드의 노래를 많이 듣습니다. 희한하게도 그분들의 음악을 들으면 집중이 잘 되더라고요. 저 가사를 듣고 어쩐지 마음에 들어서 이 작품의 집필을 시작했습니다. 그런데 쓰고 보니 너무 무서운 작품이 되어버렸습니다. 제가 쓴 작품인데 정작 쓰고 나서 겁에 질린 나머지 잠들지 못하고 뒤척거렸던 기억이 나네요. 저는 무서운 이야기를 별로 좋아하지 않습니다. 조금만 무서워도 밤에 잠을 못 자거든요!

『또 한 번의 평범한 하루』는 브릿G 자유게시판에 Mik 님께서 매달 열어주시는 소일장의 조건에 맞춰 쓴 작품입니다. 2023년 10월, 「10월 어느 날」 소일장이었네요. 「10월 어느 날에 해가 뜨지 않았다.」라는 첫 문장을 받고 즉흥적으로 쓴 작품입니다. 해가 뜨지 않으면… 아무래도 정신이 나가지 않을까요?

『일출을 보러 갑니다』와 『라일락 꽃을 심어놓을게』는 어쩐지 분위기가 비슷하지 않나요? 두 작품은 같은 아이디어에서 시작한 작품이기 때문입니다. 전자는 어쩌다 보니 SF의 느낌이 전혀 들지 않는 짧은 소설이 되었고, 후자는 SF 또는 판타지의 색이 살짝 입혀진 작품이 되었네요. 이렇게 제가 쓰는 작품인데도 어떻게 전개될지 알 수 없는 경우가 있어서 소설 쓰기가 재미있는 것 같습니다.

아, 『라일락 꽃을 심어놓을게』의 제목은 밍기뉴 님의 노래 <라일락 꽃: 첫 사랑, 젊은 날의 추억>에서 따왔습니다. 사실 소설의 아이디어 자체도 이 노래 가사를 듣고 떠올렸던 것 같기도 하네요. 밍기뉴 님은 제가 참 좋아하는 가수이십니다. 이미 알고 계신 분들도 계시겠지만, 이번 기회로 다들 한 번씩 들어봐 주셨으면 좋겠어요.

마지막 장의 세 개의 소설! 어떤 것이 제 것인지, 느낌이 오시나요? 인공지능이 쓴 것은요? 사실 처음에는 인공지능 모델로 ChatGPT를 사용하려고 했는데, 퀄리티가 별로 좋지 않더군요. 그래서 novelai를 사용했습니다. ChatGPT에게는 제가 그에게 전혀 감사함을 느끼고 있지 않다는 것을 꼭 알려주고 싶네요!

이 책이 나오기까지 정말 많은 분들의 도움이 있었습니다. 우선, 부모님을 언급하지 않을 수가 없겠네요. 제가 무엇을 하든 항상 지지해주시고 응원해주시는 아버지와 어머니께 정말 감사합니다. 아버지께서는 브릿G라는 플랫폼을 제게 소개해주시기도 했지요. 제가 소설 쓰는 일에 흥미를 가지게 된 것은 아이들과 함께 책을 읽고 이야기를 나누는 일을 하고 계신 어머니의 영향이 있다고 생각합니다.

다음으로는 '책 한 권 쓰기' 동아리를 설립하시고 사랑으로 운영해주시는 김영욱 선생님께 감사함을 전하고 싶습니다. 제가 계속해서 글을 쓰고 책을 내는 데 있어 이 동아리가 정말 큰 도움이 되었습니다. 내년에도 잘 부탁드립니다!

이번에는 브릿G 사이트의 회원님 두 분을 언급하고 싶습니다. 일면식도 없는 사이이지만 개인적으로 내적 친밀감은 상당히 높은 분들이지요. '아이스크림' 때부터 응원해주시고 꾸준히 제 작품들을 읽고 피드백을 남겨주시는 담장 님, 감사합니다. 작품 활동을 지속하는 데 있어 많은 힘이 되었습니다. 그리고 매달 소일장을 개최해주시는 Mik 님께도 감사하다는 말을 전하고 싶습니다. 첫눈에 봐도 영감이 마구 솟아오르는 아름다운 문장들을 어떻게 매달 생각해내실 수 있는지 존경스럽습니다.

이제 친구들의 차례입니다. 우선 제 작품을 가장 먼저 읽어주고 피드백해준 공태윤, 유승주, 임태호, 그리고 여기에는 수록하지 않았지만 애정을 담아 썼던 '카이린(가제)'를 피드백해주었던 한건우, 고맙습니다. 그리고 우리 동아리에서 함께 책을 쓰고 있는 노연우, 윤지운, 그리고 이상준, 장윤수 선배님, 고맙습니다. 여기 언급하지 못한 다른 많은 친구들에게도 고맙다는 말을 하고 싶습니다. 다들 고마워요!

마지막으로 존경하는 작가님 두 분께 감사의 말을 드리고 싶습니다. 항상 흥미로운 작품 발표해주시는 천선란 작가님, 감사합니다. 제가 한창 글을 쓰고 있을 때 출간된 『이끼숲』에서도 알게 모르게 꽤 많은 영감을 받은 것 같습니다. 그리고 김초엽 작가님께도 감사합니다. 포스텍을 다니시다가 작가로 전향하신 작가님을 보며 지금은 과학을 깊게 공부하고 있는 저도 진심으로 노력한다면 작가가 될 수 있을 것이라는 희망을 품게 되었습니다.

무엇보다 이 책을 끝까지 읽어주신 독자 여러분들께 진심으로 감사드립니다.